HENRY BUGALHO

MINHA ESPECIALIDADE É MATAR

COMO O
BOLSONARISMO
TOMOU CONTA
DO BRASIL

KOTTER
EDITORIAL

Copyright ©Henry Bugalho 2020

Direitos reservados e protegidos pela lei 9. 610 de 19. 02. 1998.
É proibida a reprodução total ou parcial sem autorização, por escrito, da editora.

Coordenação editorial: Sálvio Nienkötter
Editor-executivo: Raul K. Souza
Editora-adjunta: Isadora M. Castro Custódio
Editor-assistente: Daniel Osiecki
Capa: Henry Bugalho, Anthony Koontz e Carlos Garcia Fernandes
Editoração: Carlos Garcia Fernandes
Produção: Cristiane Nienkötter
Preparação de originais e revisão: o Autor

Dados Internacionais de Catalogação na Publicação (CIP)
Angelica Ilacqua CRB-8/7057

Bugalho, Henry
  Minha especialidade é matar : Como o bolsonarismo tomou conta do Brasil / Henry Bugalho. -- Curitiba : Kotter Editorial, 2020.
  176 p.

ISBN 978-65-86526-23-3

1. Brasil – Política e governo - Reportagens I. Título

20-2322   CDD 320.981

Kotter Editorial Ltda.
Rua das Cerejeiras, 194
CEP: 82700-510 - Curitiba - PR
Tel. + 55(41) 3585-5161
www. kotter. com. br | contato@kotter. com. br

Feito o depósito legal
1ª Edição
2020

HENRY BUGALHO

MINHA ESPECIALIDADE É MATAR

COMO O
BOLSONARISMO
TOMOU CONTA
DO BRASIL

Para Denise e Phillipe, as grandes alegrias da minha vida

Sumário

9   Apresentação

13   O avesso da verdade

17   O golpe de 64 e a reescrita da História do Brasil

25   O autoexílio de Jean Wyllys

35   Filosofia, a inimiga pública número um do "novo" Brasil

41   Peladões universitários, *golden shower* e Elsa, a lésbica

49   Deseducação acima de tudo: a ideologia dos que não têm ideologia

55   Super-Moro precipita-se em direção ao solo. Não existem heróis no Brasil

61   Como um jornalistase tornou a pedra no sapato do "Superministro"

67   Professora que passou a infância trabalhando: Tome vergonha, Bolsonaro

79   Jair Bolsonaro perpetua opressões com sua retórica destrutiva

85   Eles não podem vencer: a intolerância não pode sufocar a voz dos tolerantes

93	O perigoso jogo irracional de Bolsonaro e um futuro que aponta para o retrocesso
99	A militância bolsonarista em ação: "Se Olavo disse, ele tem razão"
105	Contra Bolsonaro e sua pequenez, a obra de Chico Buarque sobreviverá
111	Um recado à CPMI das fake news sobre os inimigos da verdade
117	Uma nova marcha autoritária está em curso – e não aprendemos nada
123	No Brasil de Bolsonaro, desumanização e violência caminham de mãos dadas
129	A década dos sonhos estilhaçados
135	Obrigado, Roberto Alvim (uma carta sincera após seu vídeo sincero)
141	"Extrema-imprensa" e redes antissociais: as táticas bolsonaristas de destruição
147	Bolsonaro, Guedes e o coronavírus: configura-se uma tempestade perfeita
153	A loucura de Bolsonaro chegou a um ponto sem retorno?
159	Será o fim de Jair Messias Bolsonaro?
165	Nas mãos de Bolsonaro, Brasil vive um triste jogo de xadrez 4D
171	Agradecimentos

APRESENTAÇÃO

No final de 2017, publiquei no Youtube meu primeiro vídeo sobre Jair Messias Bolsonaro, na época apenas um dos muitos nomes possíveis para uma eventual candidatura à presidência.

Naquele momento, a vitória de Bolsonaro parecia inconcebível e muitos analistas políticos, habituados a um processo eleitoral pré-redes sociais, supunham que, uma vez que a engrenagem fosse posta em movimento, o controverso deputado federal seria devorado pelos partidos e candidatos tradicionais.

Bem poucos viram na vitória de Trump os sinais daquilo que poderia ocorrer também no Brasil e como uma série de forças históricas se uniria para uma tempestade perfeita.

Ao longo de 2018, os índices de intenção de voto de Bolsonaro se mostraram consistentes e a internet servia de termômetro. Cada vez mais a vitória dele se tornava uma possibilidade e, para muitos grupos, principalmente de minorias, a simples ideia de ter um homem com um longo histórico de falas autoritárias, racistas, misóginas e homofóbicas era horripilante.

Então Bolsonaro foi o candidato mais votado no primeiro turno, levando à evaporação completa do apoio a demais candidatos da direita ou centro-direita. Enfeixando um conjunto de valores dito conservadores, com suporte dos tais "cidadãos de bem", de evangélicos neopentecostais, católicos tradicionalistas, alunos de Olavo de Carvalho tornados influenciadores digitais e candidatos, pró-armamentistas, lavajatistas, antipetistas, e com toda uma retórica contra o establishment político, ele conseguiu convencer 57 milhões de eleitores brasileiros de que era a melhor — ou a menos pior — das alternativas.

Ainda hoje, muita gente tem dificuldades para compreender o processo que levou à vitória de um político de carreira que, em distintas circunstâncias, afirmou que a sua especialidade era matar, apologista da ditadura militar do Brasil, cujo livro de cabeceira (segundo ele mesmo) é de um torturador conhecido, o mesmo torturador que foi homenageado por Bolsonaro quando anunciou seu voto em favor do impeachment da ex-presidente Dilma Rousseff em 2016, com constrangedores vínculos com milícias cariocas, e que, embora se diga cristão, representa o oposto dos princípios de amor ao próximo e tolerância do Cristianismo.

Este livro reúne artigos que publiquei na Folha de SP e na Carta Capital a partir de janeiro de 2019. Neles, empreendo este esforço de compreensão dos eventos que se sucederam desde a eleição de Bolsonaro e o mergulho no abismo de toda uma nação.

Hoje, ele ainda está no poder. E ainda não temos ideia de qual será o desfecho desta história.

Henry Bugalho
junho de 2020

O AVESSO DA VERDADE

> *"Até agora, todos os ditadores tiveram de trabalhar duro para suprimir a verdade. Nós, através de nossas ações, estamos dizendo que isto não é mais necessário (...) decidimos livremente que queremos viver num mundo pós-verdade".*
> Steve Tesich, dramaturgo sérvio, 1992.

A verdade está perdendo importância na compreensão do mundo. Este é um fenômeno de forte conteúdo político que busca impor uma narrativa que prescinde ou distorce os fatos.

Hoje, muitos youtubers direitistas veiculam uma mensagem padronizada: nas últimas décadas, estava em curso a implantação do comunismo no Brasil. Nessa teoria conspiratória, o filósofo Antonio Gramsci seria o pilar de um movimento global para destruir o capitalismo a partir das instituições educativas, políticas e culturais. Uma revolução secreta para desintegrar nossos valores tradicionais.

Nesta guerra psicológica, a agressividade de vários influenciadores não é apenas uma questão de estilo. É funcional, mesmo que muitos deles a adotem por imitação ou intuitivamente. Deve-se confundir o oponente, desacreditá-lo, abalar o seu moral.

A estratégia é a construção de uma narrativa pós-verdade, alheia ao conhecimento consolidado. Afinal, todos navegamos pelo mundo através de nossas histórias. Para aceitarmos dada interpretação da realidade, antes de tudo ela precisa fazer sentido. Uma história mentirosa coerente convence mais que uma verdade incoerente.

Este esforço de reinvenção da interpretação da realidade está ocorrendo neste exato momento. Todos os dias somos bombardeados por afirmações de ideólogos apresentando uma versão revisitada do passado e uma nova visão para o presente.

Em grande medida, as falas revisionistas de Bolsonaro, negando fatos sobre a ditadura militar ou alardeando uma "ameaça comunista", têm origem em Olavo de Carvalho, um dos responsáveis por importar e reembalar teorias conspiratórias norte-americanas.

Originalmente vinculado a seitas esotéricas e tariqas islâmicas, ele foi consolidando, em círculos marginais sem qualquer reconhecimento acadêmico, uma reputação como filósofo conservador, negando o legado do Iluminismo, da ciência moderna e dos valores democráticos decorrentes da Revolução Francesa.

Pouco importou que seu autodidatismo e falta de critério o levassem, por exemplo, a incitar o temor de um movimento global pela legalização da pedofilia. Esse mundo obscuro foi relevante na eleição de um presidente.

Neste instante, uma guerra ocorre no ambiente virtual. De um lado, arautos da pós-verdade, alguns ocuparão cargos políticos ou ministérios. De outro, cientistas, pesquisadores, professores, historiadores e filósofos esforçando-se para preservar uma compreensão mais criteriosa da realidade.

Confrontamos agora o avesso da verdade. Este é o instante no qual profissionais que trabalham com o saber devem estar dispostos a defender o conhecimento contra as investidas do obscurantismo, e no qual agentes políticos terão de evitar a corrosão das estruturas democráticas por figuras autoritárias que habitam num mundo de ilusões conspiratórias, onde comunistas espreitam a cada esquina.

Uma versão deste texto foi publicada na Folha de SP em 14/01/2019

GOLPE DE 64 E A REESCRITA DA HISTÓRIA DO BRASIL

Proponho a você um exercício de imaginação. Suponhamos nós que a chanceler da Alemanha declarasse publicamente que deseja "celebrar" a ascensão do nazismo. Mais, que na verdade os horrores do Holocausto, da sádica execução em escala industrial de milhões de pessoas, foi um mal menor, serviu apenas para evitar que os temíveis comunistas tomassem conta da nação alemã nos anos 30.

Imaginemos isto.

Agora imaginemos também a reação a uma declaração destas tanto da população alemã quanto da comunidade internacional. Sem dúvida possível, isto seria recebido com extrema indignação e horror. Afinal, de um regime autoritário, arbitrário e brutal, nada há a ser celebrado.

Não existe "e se?" na História. O que ocorreu foi o que ocorreu factualmente e não temos sequer como inferir com alguma propriedade o que poderia ter ocorrido se os eventos tivessem se desenrolado de modo diverso. Podemos especular, mas o passado está ali, intocado e fixo. Embora possamos construir novas interpretações embasadas em novas evidências, jamais fará qualquer sentido fazer revisionismo intuitivo, ou ainda pior, volitivo.

Pois foi este cenário hipotético e absurdo acima que vimos se materializar dias atrás no Brasil. Um presidente já eleito com base num discurso extremamente divisivo, que repetidas vezes apregoava sua admiração pela ditadura militar, por nomeados torturadores, pela tortura em si, pela repressão e que estas falas, que horrorizava uma parcela do eleitorado brasileiro, foram vistas majoritariamente como expressões genuínas de um sujeito que "não tinha papas na língua", que "ousava falar a verdade" e que "enfrentava a *ditadura* do politicamente correto".

A grande questão aqui é que condenar ditaduras de maneira veemente e irrestrita não se constitui em absoluto em mimimi politicamente correto. Trata-se tão somente de repudiar que um estado promova barbaridades contra seus próprios cidadãos.

A primeira mentira que sustenta este falseamento histórico é a de que a ditadura só perseguia terroristas (entenda-se, integrantes da luta armada) e *vagabundos*. A Comissão da Verdade levantou fatos que evidenciam que isto não se sustenta. Milhares de pessoas, muitas dentre elas sem qualquer vínculo com partidos ou com movimentos políticos contrários ao governo militar, foram vítimas da repressão e da arbitrariedade da ditadura. E, ressalte-se, ainda que este fosse o caso, mesmo assim seria absolutamente inaceitável, posto que violaria direitos humanos essenciais, como inclusive o direito de não ser torturado, morto ou privado de direitos políticos. Todos temos o direito de não sermos torturados por quem quer que seja que nos governe, e isto deveria ser algo tão óbvio que chega ao ridículo o simples enunciar.

A segunda grande mentira é a chamada "contrarrevolução", dando a entender que o golpe de 1964 e a ditadura que lhe seguiu teriam se constituído em reação a uma movimentação revolucionária comunista no Brasil. Os registros históricos demonstram de forma cabal que a luta armada foi consequência, e não causa do golpe de 64. Qualquer argumento fundado na ideia de que a ditadura militar foi instaurada para evitar uma ditadura comunista é, em si mesmo, um absurdo, vez que ela se voltou contra o presidente Jango e contra o favorito do pleito que se aproximava, Jucelino, ambos ricos, ambos representantes da burguesia brasileira. E o argumento do mal menor, como vimos no caso do nazismo, não se sustenta, pois não temos como assegurar se a) haveria realmente alguma tentativa de revolução comunista no Brasil, b) se esta hipotética revolução seria bem-sucedida e, enfim, c) se esta hipotética ditadura comunista à brasileira seria mais repressiva ou brutal que a ditadura militar. Como dito anteriormente, não existe "e se?" na História. Sabemos o que aconteceu, e não o que poderia ter acontecido, tarefa esta que, segundo Aristóteles, seria da ficção (ou da poética, se quisermos ser mais precisos). Acresce que o golpe foi dado e não houve luta, simplesmente porque não havia os alegados grupos comunistas, que por óbvio teriam de reagir.

A terceira mentira tem a ver com as vivências de testemunhas daquela época. Umas com depoimentos fidedignos das atrocidades de que foram vítimas ou testemunhas nos porões da repressão, outras que garantem a inexistência dessas atrocidades porque nunca as viram.

É evidente que num país com "90 milhões em ação", como apontava a famosa canção da Copa de 70, a vasta maioria dos brasileiros não teria problemas diretos com a ditadura, do mesmo modo que grande parte dos mais de 60 milhões de alemães não foi vítima dos nazistas, pelo menos até a Segunda Guerra Mundial ser deflagrada e que terminaria por devastar a Alemanha e depositar sobre gerações de alemães o peso de uma gigantesca culpa histórica.

A repressão de regimes autoritários por forçoso se volta contra os dissidentes, contra a oposição, a imprensa, os "elementos subversivos", e isto vale não apenas para a Alemanha nazista, mas para a maior parte das demais autocracias. Aliás, este é o segredo da longevidade de muitos regimes ditatoriais:

proporcionar estabilidade social e política às custas do silenciamento ou eliminação das vozes dissidentes. Quem sofre em ditaduras são aqueles que se opõem à arbitrariedade e aos abusos de poder, portanto, se você, seus pais ou seus avós nunca tiveram problema com o regime militar, o mais provável é que nunca representaram uma pedra no sapato daqueles que usurparam o poder ou seus asseclas. E é justamente aí que residem a beleza e a força das democracias, o direito de qualquer cidadão poder discordar de seus governantes sem precisar temer a tortura, a morte ou o exílio.

Mas estas não são as únicas mentiras que pairam sobre este período. Há também as teses de que o país era nesta época mais seguro, que não havia corrupção, que foi uma "ditabranda", etc.

E outro grande equívoco é de julgar um regime repressivo por seu número de vítimas, como se houvesse uma competição de quem matou mais, se foi Hitler, Stalin ou Mao, se foi Pinochet ou Fidel Castro. Este tipo de contabilidade bizarra é duplamente cruel, em parte por considerar as vítimas dos abusos, das violências e das execuções como meros números, como se cada uma daquelas vítimas não tivesse uma história e só valesse como um insignificante item num panorama de horror, mas também porque, para quem vive e sofre nas garras de uma ditadura repressiva, pouco importa se em outro país, no Camboja ou na União Soviética, por exemplo, era ainda pior. O sofrimento de alguém torturado ou morto por agentes do Estado não pode ser relativizado deste modo, a não ser por aqueles que pensam com as premissas de torturadores e executores.

E você pode igualmente condenar os abusos de regimes que mataram milhões, milhares ou centenas, não importando o viés ideológico, com base no simples reconhecimento de que violações de certos direitos humanos são uma atrocidade, ainda mais quando cometidas por aquelas instituições e autoridades que deveriam zelar por seus cidadãos.

Por fim, é lamentável que tão pouco tempo depois do golpe de Estado que precipitou o Brasil num regime repressivo que duraria mais de duas décadas, ainda tenhamos de confrontar este tipo de negacionismo histórico amadorístico, que não encontra qualquer respaldo nos trabalhos dos historiadores minimamente conceituados, e, pior, que ainda seja capaz de fazer a cabeça de tanta gente que repete irrefletidamente tais mentiras como se verdades fossem. No fundo, a pretensa "verdade sufocada" não passa de uma coleção de mentiras convenientes.

Tenta-se sim reescrever o passado, mas com o olho no futuro, como bem previu George Orwell em seu genial *1984*.

Publicado na Carta Capital em 3 de abril de 2019

O AUTOEXÍLIO DE JEAN WYLLYS

"É uma loucura o que está ocorrendo no Brasil, este surto fascista!", nos disse enfático Jean Wyllys quando conversamos com ele, há algumas semanas, em Madri. Segundo ele, desde o impeachment da presidente Dilma, o pacto democrático no Brasil ruiu e as instituições restaram fragilizadas. Os brasileiros vivem uma farsa.

Em janeiro deste ano, da Europa, anunciou que não retornaria ao Brasil para assumir seu mandato como deputado federal. Havia várias razões para isso, mas a principal se concentrava nas recorrentes ameaças que Jean vinha recebendo.

Você se habitua a ser ameaçado. Esta é uma condição imposta a quase todos que tenham um pouco de visibilidade nestes dias, principalmente aqueles que abordam temas polêmicos ou controversos. Você se habitua a ser ofendido, insultado, ridicularizado e ameaçado, principalmente porque você logo se dá conta que os insultos e ameaças partem de adolescentes ou adultos frustrados, protegidos pelo anonimato ou pela sensação de impunidade proporcionada pela Internet. Pessoas sem rosto atacando rostos conhecidos.

No entanto, nem todas as ameaças são iguais. Num clima de crescente polarização política e ideológica, o que temos visto é que alguns indivíduos estão se sentindo encorajados a ir além das meras ameaças via redes sociais.

Quando Jean Wyllys comunicou seu autoexílio foi um choque, tratava-se de uma mensagem clara do quão fraturada estava a democracia brasileira. Afinal, ninguém despreza um mandato de Deputado Federal por pouca coisa, ao contrário, gasta-se milhões e um esforço descomunal para obter um deles. É evidente que este não era o primeiro indício e talvez nem o mais contundente, mas se somava a um conjunto deles que projetava uma imagem bastante assustadora do cenário político do país.

Sem dúvida alguma, um destes momentos trágicos e preocupantes foi a execução da vereadora Marielle Franco e seu motorista em março de 2018. Dada a sofisticação da operação para matá-la, o tipo de armas usado e o contexto político do Rio de Janeiro, logo nos demos conta que aquele não era apenas mais um homicídio como tantos outros num dos países mais violentos do mundo.

O assassinato de Marielle não era tão somente um ataque a uma cidadã brasileira, mas a uma vereadora eleita que representava um conjunto de valores que já eram marginalizados história e socialmente. Como a própria Marielle se identificava, ela era "mulher, negra, gay, da favela", enfim, tudo que a classe média branca e conservadora brasileira abominava e temia, ela era a antítese daquilo que se entende habitualmente como "cidadão de bem", ainda mais porque esta vereadora pertencia a um partido de esquerda e defendia pautas que no Brasil ainda são tabus, como aborto e feminismo.

A execução de Marielle foi um daqueles momentos críticos e sintomáticos, quando já não podemos mais fingir que há normalidade democrática. Uma vereadora de uma das principais capitais do país havia sido assassinada e tudo apontava para milicianos, estas forças paramilitares que dominam conjuntos de favelas cariocas, e cuja influência não pode ser menosprezada. Estas suposições se confirmaram quase um ano depois, quando os primeiros suspeitos de envolvimento com o crime foram presos: milicianos. Ainda não se divulgou quem teria sido o mandante da execução. O delegado que desvendou até ali o caso foi destituído no dia seguinte ao da prisão.

O clima de animosidade política se acentuou ao longo de 2018 e se tornou insustentável durante a campanha eleitoral. Abaixo de Lula, que era candidato, mas que infalivelmente seria inviabilizado mais tarde pela justiça, vinha ascendendo nas pesquisas um improvável Jair Bolsonaro, candidato extremamente divisivo, defensor da ditadura militar no Brasil, que não poupava elogios a reconhecidos torturadores daquele regime, e que crescia nas pesquisas justamente por causa de uma inflamada retórica antiesquerda. Em seu discurso durante a votação a favor do impeachment da então presidente Dilma em 2016, Bolsonaro exultou a memória do Coronel Carlos Brilhante Ustra, que, segundo as palavras do próprio Bolsonaro, havia sido "o terror da Dilma Rousseff". Como que confirmando isso, numa entrevista ao programa Roda Viva, ao ser perguntado sobre qual era o seu livro de cabeceira, Bolsonaro respondeu "A Verdade Sufocada". O autor? Carlos Brilhante Ustra, ex-chefe do DOI-CODI e que havia pessoalmente supervisionado e participado de sessões de tortura nos anos 70.

Na sequência imediata do estridente voto de Bolsonaro, como a votação foi feita por ordem alfabética do pré-nome, coube ao deputado Jean Wyllys dar seu voto, no caso, contra o impedimento da presidente. Ao concluir seu voto, Bolsonaro, que ainda estava próximo, o insultou e Jean cuspiu em Bolsonaro, que na época era apenas um controverso deputado federal do baixo clero. Aquela cusparada de Jean Wyllys em Bolsonaro dentro do Parlamento, por mais repreensível que tenha sido, lavou a alma de muitos brasileiros depois de terem sido obrigados a ouvir a homenagem a um conhecido torturador da ditadura. Mas nem Jean nem ninguém poderia imaginar que aquele deputado polemizador, mas até então irrelevante, se tornaria o presidente do Brasil tão poucos anos depois.

Voltamos a 2018 e o que se viu após a morte de Marielle foi um esforço, possivelmente coordenado, para destruir a reputação da vítima. Parecia necessário um segundo assassinato de Marielle. Inúmeras mentiras começaram a ser propagadas nas redes sociais, no Facebook e em grupos de Whatsapp, associando-a a grupos criminosos, a traficantes, disseminando informações e imagens falsas da vereadora assassinada. Não bastava matá-la fisicamente, era preciso erradicar também a memória dela e minimizar a gravidade do crime praticado não apenas contra uma representante eleita, mas contra a própria ordem democrática. Um país que mata seus representantes corre sérios riscos, não nos enganemos.

Marielle e Jean tinham muita coisa em comum, defendiam pautas semelhantes e pertenciam ao mesmo partido. Mais que isso, eram amigos.

A retórica antiesquerda aumentava em intensidade e, naquele momento, havia se tornado claro que a retórica por si não satisfaria mais seus enunciadores, eles iriam avançar.

Jean Wyllys já sofria ameaças antes disto e, assim como se deu com Marielle após sua morte, formou-se uma forte campanha de difamação contra ele nas redes sociais. Figuras como Alexandre Frota, ex-ator da Globo e do pornô, propagavam mentiras sobre ele e, mesmo após processá-las e ser indenizado por isto, a imagem de Jean continuava sendo diariamente atacada e apoucada. A máquina de destruição de reputações da extrema-direita trabalhava dia e noite.

Então, em 6 de setembro de 2018, ocorreu algo inconcebível. Em Juiz de Fora, durante um ato de campanha de rua, o candidato Jair Bolsonaro foi esfaqueado. Gravemente ferido, ele foi levado ao hospital e logo analistas políticos cogitaram que, se sobrevivesse ao atentado, Bolsonaro ganharia as eleições. Aquele poderia ser o ponto de virada numa campanha extremamente polarizada e, no caso particular de Bolsonaro, sem projetos bem definidos para o Brasil. O autor do atentado foi preso e identificado: Adélio Bispo. Laudos da Polícia Federal apontam que ele agiu sozinho e peritos declaram que Adélio tem transtornos mentais. Mas este crime, muito diferentemente daquele com alto grau de sofisticação que matou Marielle, deu margem para uma série de especulações e teorias conspiratórias.

Cogitou-se que poderia ser uma obra da esquerda para tirar Bolsonaro do páreo. Alguns anos antes, Adélio havia sido filiado do PSOL, o mesmo partido de Marielle e Jean, e isto bastou para os bolsonaristas começarem a conjecturar e elaborar hipóteses ensandecidas.

No bojo desses, outros episódios se desenrolaram.

Em agosto de 2018, a doutora Débora Diniz, antropóloga e professora da UNB, participou de debates no Supremo sobre a descriminalização do aborto. Já sofria ameaças antes, mas a envergadura desta discussão e a exposição a deixaram ainda mais em evidência. Foi então que, em novembro, dada a gravidade das ameaças, Débora Diniz se viu obrigada a deixar o Brasil. Hoje é pesquisadora na Brown University, nos EUA.

Em dezembro, a polícia conseguiu desmantelar um plano para o assassinato de Marcelo Freixo, também do PSOL. Estava sendo organizado por milicianos, pelo mesmo grupo envolvido na execução de Marielle.

O que se podia perceber era um padrão recorrente de ameaças a políticos de esquerda e professores, em alguns casos extremos levando à violência de fato.

Então, como indicavam as últimas pesquisas, Bolsonaro foi eleito presidente. Jean Wyllys foi reeleito deputado federal. Há muito que ele sofria ameaças, inicialmente em grupos da *deep web*, conhecidos como *chans*, mas, segundo Jean, "as ameaças foram subindo de nível. O motivo delas era a minha agenda em favor dos direitos LGBT, em favor dos direitos humanos, tinha a ver com o fato de eu ser um gay assumido". Para certos grupos, era inaceitável que alguém como ele ousasse se alçar do lugar que era reservado a pessoas como ele. Aliás, para Jean, esta também seria a razão essencial para a execução de Marielle Franco. "O crime da Marielle é um marco na História do Brasil, e talvez seja o mais importante crime político já ocorrido na História do Brasil, mais importante talvez até do que a própria execução do Rubens Paiva, porque Marielle representava um conjunto de mobilidades produzidas pela nova república, sobretudo pela era Lula", ele afirmou em nossa conversa. Assim, o que havia começado como ameaças aparentemente inofensivas foi tomando contornos reais, escalando para ataques vindos de grupos e influenciadores antipetistas e de extrema-direita, até que, enfim, culminou na morte de Marielle. Jean Wyllys já não podia mais ignorar o risco à sua própria vida e, assim, em outubro de 2018, ele entrou com um pedido de proteção da Comissão Interamericana de Direitos Humanos que lhe concedeu medidas cautelares para que o Estado brasileiro o protegesse. Nesta época, ele já recebia escolta parlamentar, porém restrita ao horário de expediente, e o governo brasileiro ignorou a ordem da CIDH. Segundo Jean, "a Polícia Federal nunca levou isto a sério, pois se trata de ameaças a minorias".

A decisão de deixar seu país não foi simples, e quando indagado sobre as acusações de que teria abandonado o Brasil, ele rebate inflamado de indignação: "abandonou é o caralho!"

Na presença de Jean, pudemos perceber o quanto ele é um homem machucado pela sua trajetória como parlamentar, pela homofobia que sofria até mesmo no interior da Câmara. Na nova vida dele em Berlim, cidade que escolheu para realizar seu doutorado, no qual analisará o fenômeno das *fakes news*, Jean Wyllys busca uma rotina, o direito de poder se perder na multidão sem ser insultado nas ruas e sem medo de agressões. Tornar-se um anônimo. "Vim em busca disto, em busca por uma liberdade", ele diz, "não quero virar figura pública aqui".

Apesar deste anseio por tranquilidade, Jean tem cumprido uma agenda agitada de palestras e eventos pela Europa. Promete não deixar de lutar por aquilo em que acredita, "as causas pelas quais eu luto não ganham nada com a minha morte. Não tenho vocação alguma para ser mártir nem herói", ele afirma, rememorando aquilo que o ex-presidente Pepe Mujica lhe havia dito: "os mártires não são heróis. Cuida-te".

Acompanhamos Jean Wyllys até a porta do hotel. Logo ele retornaria a Berlim para retomar a sua carreira acadêmica e, quem sabe, conseguir compreender melhor parte deste mecanismo de mentiras e distorções que pôs a extrema-direita brasileira no poder e, mais do que isto, que arruinou a vida política e pessoal de Jean através de um discurso intolerante e polarizador, este "surto fascista" que também vem rondando outras democracias pelo mundo.

Talvez Jean encontre algumas respostas para isto, e talvez também encontre o anonimato que tanto almeja para cicatrizar suas feridas, a liberdade que procura e que seu país lhe negou.

Publicado na Carta Capital em 17 de abril de 2019

FILOSOFIA, A INIMIGA PÚBLICA NÚMERO UM DO "NOVO" BRASIL

Para toda pergunta complexa há realmente uma resposta simples, e errada.

Deveria ser impossível, mas é fácil na verdade, entender o desprezo que o governo Bolsonaro nutre pela Filosofia.
Temos um presidente que devolve respostas simples para os mais complexos problemas do Brasil e do mundo, respostas que satisfazem as inquietações de seus eleitores, hoje educados por meio de *fake news* no Whatsapp, sectários youtubers e pela tal "mídia alternativa", um eufemismo para um jornalismo tosco que prescinde de um dos princípios mais elementares da ética jornalística: fundamentar-se no que seja factual, ou seja, restringir-se aos fatos.

Neste universo de linguagem simplificada e rasa, qualquer resposta sofisticada e problematizadora é descartada como uma excentricidade de acadêmicos ideologicamente enviesados.

Um presidente eleito sustentando a retórica de que "governaria sem viés ideológico" dota agora todos os seus atos e falas com uma esmagadora e constrangedora carga ideológica. Bolsonaro adora repetir a conveniente citação bíblica "Conheça a verdade e a verdade vos libertará", como se ele detivesse e defendesse esta verdade libertadora, mas esquece-se de um versículo bem mais apropriado a seu caso: "por que vês o cisco no olho de teu irmão, mas não reparas na trave no teu olho?"

Ideologia é assim, só a vemos turvando o olho do outro.

Esta política de apontar os erros e falhas de seus inimigos o conduziu ao poder, e é esta atitude que mantém a sua base mobilizada e inflamada. "Os inimigos estão por todos os lados e nós, que conhecemos a verdade e somos livres, vamos destruí-los de uma vez por todas para que o Brasil não sucumba diante da ameaça vermelha." Bem-vindos de volta à Guerra Fria!

Esta polarização político-ideológica, tão característica do mundo pré-Queda do Muro de Berlim, caiu como uma luva para este discurso simplificador do Bolsonaro: de um lado estão os justos — cristãos conservadores armamentistas não necessariamente muito democráticos — e do outro, os maus — comunistas comedores de criancinhas que trabalham dia e noite para a destruição da civilização ocidental, e aqui você reúne o PT, o PSOL, o MST, George Soros e até Barack Obama.

Os professores de Filosofia certamente engrossam as fileiras inimigas destes anacrônicos comunistas, ousando ensinar Marx, Gramsci e filósofos da Escola de Frankfurt a seus incautos alunos, doutrinando-os para se tornarem militantes nesta guerra cultural. Pois, para Bolsonaro e seu novo ministro da Educação, é exatamente para isto que servem os cursos de Filosofia, para formar comunistas malévolos.

Não surpreende que o guru ideológico deste governo seja o mais anti-intelectual dos pensadores, o Rasputin da Virgínia, o autoproclamado filósofo que nutre um desprezo absurdo pela quase totalidade dos filósofos que se imortalizaram nesta Terra. Em suas "aulas", que no fundo nada mais são que sessõesególatras e ataques virulentos contra seus desafetos, não poupa insultos a Foucault, Nietzsche, Marx (principalmente a Marx), nem Popper se salva, a quem o guru chama de "cretino". Para ele, o Iluminismo foi um tremendo equívoco, o bom mesmo era a Idade Média, para onde retornaremos se não encontrarmos meios para deter esta onda obscurantista e fundamentalista.

A Filosofia se tornou a inimiga número um.

Por quê?

Porque esta sim é libertadora, porque empreende a busca infatigável pela verdade, cônscia de que a verdade é sempre ou provisória ou inalcançável mesmo. Jamais a verdade poderia ser revelada, já que ninguém a detém. Na Filosofia, não há respostas prontas, nem simplórias. Ela propõe a dúvida e reitera a permanente reflexão. E disto eles realmente têm medo.

Publicado na Carta Capital em 1.º de maio de 2019

PELADÕES UNIVERSITÁRIOS, *GOLDEN SHOWER* E ELSA, A LÉSBICA

Durante o carnaval deste ano, o presidente Jair Bolsonaro passou vergonha em nível mundial ao compartilhar o vídeo de uma "performance artística" em São Paulo. Esse vídeo, veiculado para os mais de quatro milhões de seguidores do presidente no Twitter, mostrava dois homens sobre um ponto de táxi. Eles dançavam diante de gritos da multidão, até que um deles introduziu um dedo no próprio ânus e, em seguida, abaixou-se para que seu parceiro urinasse em sua cabeça.

A internet veio abaixo com a cena explícita de *golden shower*, ou "chuveiro dourado", exposta na conta oficial do presidente. O repúdio ao compartilhamento da cena foi absoluto e surgiram denúncias de quebra de decoro e até de improbidade administrativa que poderiam dar início a um processo de impeachment.

A resposta presidencial foi ainda mais chocante: "O que é golden shower?"

E mais uma vez, agora pela reação, Bolsonaro se tornou manchete — e piada — internacional.

A justificativa do presidente foi que ele havia se escandalizado com as imagens e sentiu que precisava denunciar obscenidades tantas. A desculpa não colou.

No final de abril deste ano, o ministro da Educação Abraham Weintraub anunciou um "contingenciamento" (um eufemismo para cortes) de 30% nos gastos discricionários das universidades e institutos federais com a seguinte justificativa: "A universidade deve estar com sobra de dinheiro para fazer bagunça e evento ridículo. (...) Sem-terra dentro do campus, gente pelada dentro do campus", ou seja, aquilo que ele denominou de "balbúrdia", como se tais ocorrências anedóticas representassem o dia a dia do ambiente acadêmico.

Para legitimar os cortes que poderão afetar o funcionamento de várias universidades brasileiras, algumas podem inclusive chegar a fechar as portas por falta de verba, o ministro da Educação apela para a moralidade. Aparentemente, para Weintraub, festas com gente pelada servem como argumento para um ataque ao ensino superior, aos professores e alunos universitários. A origem desta medida é essencialmente ideológica, de um confronto contra o marxismo cultural, que Weintraub, como bom discípulo de Olavo de Carvalho, já teve a oportunidade de explicitar em outras circunstâncias. Porém, de modo a apelar ao puritanismo do eleitorado do Bolsonaro, o ministro transforma os cortes num ato moral de decência, enfrentando a "balbúrdia", punindo obscenidades.

Na semana passada ressurgiu uma antiga gravação da ministra da Mulher, Família e Direitos Humanos, Damares Alves, na qual ela mais uma vez ergue uma das suas principais bandeiras: a defesa das crianças contra a sexualização precoce. Damares apresenta um exemplo de como as crianças têm sido incitadas à erotização e a se tornarem homossexuais; segundo ela, a animação Frozen, da Disney, tem em uma de suas protagonistas, a princesa Elsa, um referencial de depravação moral. Segundo Damares: "Sabe por que ela [Elsa] termina sozinha em um castelo de areia... de gelo? Porque é lésbica! O cão está muito bem articulado e nós estamos alienados."

Esta é a mesma Damares que em outro vídeo havia dito que "na Holanda, os especialistas, que fizeram não sei quantas universidades, ensinam que o menino deve ser masturbado com sete meses de idade, para quando chegar na fase adulta possa ser um homem saudável sexualmente, e a menina precisa ter a vagina manipulada desde cedo para que ela tenha prazer na fase adulta. (...) Lá na Holanda, eles estão até distribuindo cartilhas ensinando como massagear sexualmente suas crianças. Isso está acontecendo no Brasil."

As afirmações da ministra evidentemente não correspondem aos fatos, pois Elsa não é retratada como homossexual em Frozen e especialistas holandeses não estão ensinando que bebês sejam masturbados, inclusive esta última afirmação foi recebida com horror e incompreensão pela imprensa holandesa.

Mas qual é a relação entre o *golden shower* do Bolsonaro, os peladões universitários do Weintraub e a Elsa lésbica da Damares?

Há uma agenda moral muito clara que unifica esses três casos. Bolsonaro foi eleito, em grande medida, por causa de sua cruzada moral, apelando para a sensibilidade de evangélicos neopetencostais, de católicos tradicionais ultrarradicais e de um crescente segmento de jovens e adultos que se identificam como "conservadores".

Em sua trajetória como parlamentar, Bolsonaro havia se envolvido em inúmeras polêmicas, várias delas relacionadas ao que ele chamava de "kit gay", isto é, um suposto material para ser distribuído em escolas públicas que estimulariam crianças e adolescentes a se tornarem homossexuais. Suas eventuais aparições em programas de auditório na TV também eram vitrines para todo o Brasil da homofobia e da moralidade reacionária de Bolsonaro, defendendo um padrão ético e comportamental que só existe na imaginação destes conservadores de ocasião.

No horizonte moral do Bolsonaro e seus eleitores, tortura e violação de direitos humanos não deflagram questões éticas, particularmente se as vítimas forem comunistas ou criminosos pobres. Segundo disse o próprio Bolsonaro em entrevista, "violência se combate com violência", portanto, brutalidade policial e execuções extrajudiciais, incluindo aquelas perpetradas por milicianos ou esquadrões da morte, são absolutamente aceitáveis. Entretanto, debates nas escolas relacionados a gênero ou questionando a heteronormatividade — oh, que horror! — seriam inaceitáveis.

De acordo com o atual presidente do Brasil, é totalmente justificável que forças de segurança, ou mesmo cidadãos bem-intencionados no uso legítimo da autodefesa, matem outros cidadãos, porém que dois jovens urinem consensualmente um no outro é uma degeneração moral inaceitável e deve ser exposta e ridicularizada, mesmo que para tanto o nosso maior espetáculo, o carnaval, seja atacado aos olhos do mundo que nos visita para brincá-lo.

Jason Stanley, em sua obra "Como funciona fascismo", afirma que "como a política fascista tem, em sua base, a família patriarcal tradicional, ela é acompanhada de maneira característica pelo pânico a desvios dela. Indivíduos transgêneros e homossexuais são usados para aumentar a ansiedade e o pânico relacionados a papéis masculinos tradicionais." Esta hipócrita e seletiva defesa de valores morais nesta contraditória retórica bolsonarista — que condena e repudia a sexualidade, ao mesmo tempo em que enaltece ou glorifica atos de violência e barbárie — possui elementos desta ansiedade sexual descrita por Stanley e que é habilmente explorada por governantes com este viés fascistoide.

E isto tem uma dupla função, por um lado solidifica uma estrutura hierárquica familiar e social fundada na figura de um líder masculino forte e que possui as soluções, mesmo que simplórias e impraticáveis, para os eventuais problemas que nos assolam, e por outro fornecer uma clara distinção entre as pessoas boas e puras, moralmente íntegras, e todos os demais grupos — e aqui podemos enumerar alguns dos alvos recorrentes deste discurso: gays, lésbicas, feministas, comunistas, artistas, intelectuais, evolucionistas, etc. — que enfeixam todos os valores negativos que devem ser suprimidos neste modelo fundamentalista de sociedade cristã.

De acordo com as próprias palavras do Bolsonaro para seus seguidores, "vamos fazer o Brasil para as maiorias. As minorias tem que se curvar às maiorias. (...) As minorias se adequam, ou simplesmente desaparecem". Portanto, o elemento unificador das falas do Bolsonaro, da Damares e do Weintraub apontam para um futuro, próximo talvez, no qual, em favor dos mais nocivos preconceitos morais, seja sufocada a complexa e plural tessitura social brasileira.

Publicado na Carta Capital em 15 de maio de 2019

DESEDUCAÇÃO ACIMA DE TUDO: A IDEOLOGIA DOS QUE NÃO TÊM IDEOLOGIA

"Em defesa da educação" estampava a faixa afixada na fachada da icônica sede da Universidade Federal do Paraná em Curitiba. Esta faixa, com uma mensagem apartidária em favor de uma causa que qualquer pessoa minimamente racional apoiaria, acabou se convertendo no símbolo das manifestações pró-governo, em defesa da confusa e ineficiente gestão de Bolsonaro, no último domingo, 26 de maio.

Em um vídeo que viralizou nas redes sociais, vemos um homem com a camisa da seleção brasileira, peça que vem simbolizando o patriotismo fajuto calcado num reacionarismo tupiniquim, dizendo o seguinte: "vamos retirar esta faixa, porque prédio público não pode ser utilizado de forma ideológica", enquanto isto, vê-se atrás dele outros paramentados manifestantes bolsonaristas cumprindo o prometido.

Confesso que tive de me esforçar para encontrar o viés ideológico implícito nos dizeres "Em defesa da educação". Como saber qual grupo político está por detrás disto? Quem se beneficiará com isto? A quem serve?

Mas o fato é que defender a educação é e sempre será uma postura ideológica, pois suscita outra indagação: que tipo de educação? Para quem?

De fato, todos vivemos num mundo permeado por ideologias, somos atravessados por elas e todos os nossos atos, falas e omissões são dotados de carga ideológica. Sob esta ótica, a faixa "Em defesa da educação" é claramente um slogan ideológico, assim como também é ideológica a fachada neoclássica desta sede da UFPR, com colunas, traves de cornijas que remetem a princípios arquitetônicos da Antiguidade greco-romana. A camiseta amarela da seleção brasileira com o logo da FIFA é também revestida de ideologia e a própria afirmação que "prédio público não pode ser usado de forma ideológica" também é, por sua vez, altamente ideológica.

Portanto, o problema essencial na cabeça do manifestante não é Ideologia com "i" maiúsculo, mas uma determinada ideologia da qual ele discorda, já que os atos seguintes são ainda mais reveladores. No lugar de "Em defesa da educação", foi afixada outra faixa que dizia "Olavo tem razão, ao mestre com carinho" e incluía também a inscrição "Ninguém nos déte", sabe-se lá o que isto queira dizer.

A cena expõe, como podemos supor, um conflito profundamente ideológico e que está no cerne do governo bolsonarista. Na base desta guerra cultural está o explícito ataque ao conhecimento, aos professores e aos estudantes universitários. Segundo Olavo de Carvalho, a pessoa homenageada na faixa posta no lugar daquela que defendia a educação, as universidades são antros esquerdistas que servem de ponta de lança para uma revolução comunista de inspiração gramscista, numa "marcha pelas instituições" para a consolidação da hegemonia cultural e intelectual dos vermelhos — de maneira resumida, isto é o que se chama de "marxismo cultural".

Sendo assim, conquistar estes espaços educacionais, expurgar professores "comunistas", reescrever a História e extirpar quaisquer vestígios da ideologia contrária é uma condição *sine qua non* desta guerra cultural. Para os olavistas, qualquer vitória política sem esta vitória cultural não será uma vitória completa, pois deixará margem para que os comunistas retornem rapidamente às esferas de controle social e político. O expurgo deve ser completo e irrestrito.

"Em defesa da educação" passa uma mensagem evidente, principalmente em uma universidade federal: de uma educação pública, de qualidade e inclusiva. Contudo, para quem pensa na universidade como um espaço destinado a uma elite, é evidente que isto pode soar como afronta. Sabe-se que o acesso à educação é um dos principais pré-requisitos para a redução da desigualdade social, por permitir melhores oportunidades de trabalho e, por isso, estimular a mobilidade social. O acesso dos mais pobres ao ensino superior público permite duradouras transformações numa sociedade. A quem duvide sugiro que veja o que fizeram os países do norte da Europa, hoje amplamente acatados como melhores modelos de sociedade. Neles a real implantação da social-democracia comprovou o antigo mote segundo o qual: uma sociedade é tão rica quanto é rica sua porção mais pobre.

Mas, voltemos à questão. A quem não interessa isto?

E deixo para resposta de vocês estas últimas perguntas: quem serão os reais ganhadores com o fim da educação superior pública? Quem lucrará com isto? Quem se beneficiará com este desmonte?

Adianto que qualquer resposta será ideológica, mas com inevitáveis e catastróficas implicações práticas para milhões de jovens estudantes que agora estão na linha de frente deste embate por seu futuro, por suas carreiras e, mais do que isto, por um modelo de sociedade mais aberto e inclusivo.

Publicado na Carta Capital em 29 de maio de 2019

SUPER-MORO PRECIPITA-SE EM DIREÇÃO AO SOLO. NÃO EXISTEM HERÓIS NO BRASIL

O vazamento das conversas entre Sérgio Moro, juiz à época, e a força tarefa da Lava Jato revela muita coisa. Como primeiro salta aos olhos a coragem e audácia dos jornalistas do portal The Intercept, capitaneados pelo mundialmente reconhecido e premiado Glenn Greenwald, que fez história por sua cobertura do caso Snowden, tornando pública a extensão da invasão de privacidade pela NSA (*National Security Agency*) nos EUA, que vasculhava detalhes e espionava a vida de milhões de pessoas pelo mundo, incluindo chefes-de-Estado, como a ex-presidente Dilma Rousseff e a primeira-ministra da Alemanha Angela Merkel. Greenwald comprou nesse episódio uma guerra contra o governo e as instituições de seu próprio país e cumpriu o seu dever ético de repórter, o de informar mantendo-se fiel aos fatos, revelando a verdade factual. Ganhou o Pulitzer por esta investigação, e o documentário retratando a participação dele neste caso foi vencedor do Oscar.

Temos então mais um escândalo político, mas agora expondo o contumaz atirador, a Lava Jato, uma megaoperação para investigar e punir políticos e empresários corruptos e corruptores no Brasil e que, para muitos brasileiros, se tornou o símbolo de uma verdadeira limpeza na cúpula política e econômica brasileira. Glenn Greenwald, em vez de ser celebrado unanimemente por divulgar estas conversas entre Sérgio Moro, o atual ministro da Justiça, e Deltan Dallagnol, o procurador da república, que apontam uma estreita relação que ultrapassa limites éticos e, pelo que tudo indica, também legais, tem sido vítima agora de mais uma leva de ataques à sua reputação. É a velha e conhecida tática de "dispare contra o mensageiro!". O núcleo duro do bolsonarismo não gostou do conteúdo vazado? E a culpa é do conteúdo? É evidente que não, a culpa só pode ser do repórter que revelou o conteúdo da conversa de homens públicos, no exercício supostamente temerário de suas funções.

Não que o ataque à imprensa seja novidade entre esses milicianos virtuais e até mesmo entre integrantes do governo. Para esta turma, a imprensa só serve quando atende aos seus interesses e confronta seus inimigos, mas, quando a lupa jornalística aponta seus erros, não hesita em pedir a supressão da liberdade de expressão e até mesmo a deportação de jornalistas, ainda mais quando a isto se soma homofobia e um bizarro e deslocado antiamericanismo que destoa da posição oficial do governo de subserviência aos ianques — americano bom é americano que não se intromete nas questões políticas brasileiras. Vivemos o império novelístico em que o herói de um é o vilão do outro, uma dicotomia tão insustentável, quanto imprópria e indesejável para o desenvolvimento saudável da sociedade.

E, falando em herói... Recentemente vimos um dos protagonistas deste escândalo alçado ao status de Super-homem. Nas manifestações pró-Bolsonaro do dia 26 de maio, nos deparamos em Brasília com o gigantesco boneco inflável do "Super-Moro", o herói do Brasil. É fascinante como as pessoas se apegam tão facilmente a mitos, a paladinos. Todos já sabiam que o Super-Moro era um juiz ambicioso e que se dispunha, como no caso do vazamento do áudio da conversa entre Dilma e Lula, a driblar a legalidade para atingir seus fins. Talvez até seja um daqueles que bate no peito e afirma: "A justiça sou eu". Fiou-se no argumento de que as gravações eram de interesse público, se isso for verdadeiro, por forçoso, ora, são também de interesse público suas conversas com Dallagnol, em que se auxiliavam mutuamente para incriminar os réus do espectro político adversário, mormente o Lula. O fato é que Sérgio Moro jamais foi herói. Foi juiz e, como tal, deveria atuar de maneira imparcial e, acima de tudo, justa. Ao invés disso procedeu como um agente político. Usou a Lava Jato como escada para inserir-se no jogo político. Deu certo até aqui, acabou ministro. O herói Super-Moro, quando visto de perto e nos bastidores, revelou-se como todos os demais mortais: pleno de imperfeições e contradições, de interesses próprios, e vaidades que acabou colocando acima do interesse público. Bolsonaro havia dito que havia prometido a Moro uma vaga no Supremo. Moro desdisse e Bolsonaro também voltou atrás. Aparentemente, a toga de ministro do Supremo ora se desfaz nas mãos do herói do Brasil. Voltou à condição de mortal e precipita-se em direção ao solo porque ousou voar alto demais e suas asas eram de cera, derreteram ao se aproximar do Sol.

Ah, os gregos e seus semideuses a nos revelar as coisas humanas!

Os gregos tinham uma palavra-conceito para designar esta falha trágica dos heróis: ὕβρις (*hybris*), ou desmedida, que é quando o herói desconhece os seus limites e, por causa de sua arrogância e excesso de confiança, confronta a ordem natural do mundo, desafiando até os deuses às vezes. O conjunto de tragédias gregas está repleto de exemplos de heróis que ultrapassam seus limites e por isso se dão mal no final.

Sérgio Moro não é um herói, sequer existem heróis ou mitos na política brasileira.

E talvez esta seja a principal revelação desta semana para muita gente: não existem heróis, somos todos apenas humanos falhos, com equivocadas convicções e mesquinharia, e que invariavelmente pagamos quando erramos.

Mantém-se a lição: mortais, com suas efêmeras asas de cera, jamais devem tentar voar tão alto.

Publicado na Carta Capital em 12 de junho de 2019

COMO UM JORNALISTA SE TORNOU A PEDRA NO SAPATO DO "SUPERMINISTRO"

Que a imprensa livre e independente é um dos pilares essenciais de democracias sólidas já deveria ser óbvio. A imprensa é um agente de fiscalização e transparência, revelando à população aquilo que fazem os poderosos e, mais do que isto até, tornando visível as sujeiras que estes mesmos poderosos querem esconder.

Talvez o conceito central aqui seja o de *poder*. Todos sabemos que o poder embriaga. Em seu livro *The Dictator's Handbook*, ou o Manual do Ditador, os autores Bruce Bueno de Mesquisa e Alastair Smith contestam a afirmação clássica de que o "poder corrompe". Segundo eles, mais que corromper, o poder atrai os corruptos. Portanto, se aceitarmos esta conclusão, poder, corrupção e corruptos formam uma receita catastrófica e inerente à política. E um dos principais antídotos contra isto é a transparência, é que os poderosos sempre a flertar com a corrupção saibam que os olhos estão voltados para eles e que, diante de qualquer deslize, seus abusos e crimes serão expostos e que, ainda mais importante, eles serão punidos.

E foi justamente por isto que a Lava Jato conquistou tão facilmente o imaginário do brasileiro. Para muita gente, passava-se a impressão de que pela primeira vez na História do país havia alguma justiça, de que aqueles corruptos na cúpula do poder não eram intocáveis, que poderiam ser atingidos, julgados e condenados, que a prisão não estava destinada apenas aos pobres e marginalizados, segmento, aliás, que causa tanta repulsa ao brasileiro médio quanto os políticos corruptos.

A Lava Jato foi a promessa de justiça, de um genuíno desejo de enfrentamento do câncer da corrupção cujas consequências podem ser observadas no dia a dia dos brasileiros, já que os bilhões movimentados entre a elite política e econômica jamais servirão para melhorar a vida daqueles que realmente precisam, mas contribuirão apenas para consolidá-los ainda mais no poder.

No entanto, o poder tem esta força magnética de atrair os corruptos, mesmo quando estes erguem hipocritamente a bandeira da luta contra a corrupção. E o poder embriaga. Em algum momento, os procuradores da Lava Jato consideraram que, para realizarem seu trabalho de modo mais eficaz, a lei era um entrave. Se quisermos ir mais longe, precisamos dar um passo além e para fora da trilha, e, para isto, devemos jogar pelas nossas próprias regras.

Foi deste modo que a Lava Jato operou e tem operado há anos. Muitos denunciaram isto antes, havia suspeição, questionava-se a ausência de imparcialidade dos julgamentos. Entretanto, somente agora, mediante os vazamentos de conversas entre o ex-juiz Sérgio Moro e o procurador da República Deltan Dallagnol realizados pelo portal The Intercept, que obtivemos, enfim, a comprovação de como isto se deu e qual foi a natureza da relação entre o Ministério Público e o então juiz responsável pelos casos.

É neste ponto que o papel da imprensa se torna essencial e transformador. Ontem, Glenn Greenwald esteve numa comissão da Câmara para falar sobre os vazamentos e, mais uma vez, foi obrigado a dar explicações sobre qual é o papel dele enquanto jornalista. Publicar tais informações, independentemente de qual for a fonte e de quais sejam as intenções desta, é a obrigação do jornalista comprometido com os fatos e, acima de tudo, com o interesse público. Este não é um princípio que motiva apenas o Glenn, um jornalista mundialmente reconhecido e premiado; esta é a essência da profissão jornalística, integra a própria ética da profissão.

 Esta não será a primeira nem a última vez que a missão do jornalismo responsável atravessa os caminhos dos poderosos inescrupulosos. Não importa se você viola a lei pensando estar fazendo algo bom, em busca do bem comum. Se as leis são frágeis, morosas ou injustas, mude-se as leis, mas um juiz também tem o dever de cumpri-las, aliás, mais do que isto, é quem deve dotá-las de legitimidade. Se nem estes se sentem coagidos pela força da Lei, como esperar que os demais o sejam?

Publicado na Carta Capital em 27 de junho de 2019

PROFESSORA QUE PASSOU A INFÂNCIA TRABALHANDO: TOME VERGONHA, BOLSONARO

Sei que, assim como ocorre comigo, muita gente fica boquiaberta diante das afirmações ofensivas, desrespeitosas e completamente desconectadas da realidade deste senhor que agora se senta na cadeira presidencial.

É alguém que não respeita a dignidade do cargo que ocupa e que nos deixa sem reação e, às vezes, sem palavras diante do absurdo.

Semana passada, Bolsonaro disparou mais uma das suas, desta vez glorificando o trabalho infantil e acabou tendo de se explicar (novamente). Ele diz, depois se desdiz, e passa dias tendo de se explicar. Talvez isto seja estratégico, um recurso intencional de desinformação, ou talvez seja meramente despreparo mesmo. De qualquer modo, os estragos na consciência coletiva são devastadores.

Então, ontem de manhã, recebi esta emocionante mensagem da professora Dirce que, de maneira clara, lúcida e sábia, explica-nos porque o trabalho infantil jamais deveria ser aceito. Sendo assim, quero compartilhar com vocês estas considerações.

"Caro Sr. Henry,

Como vai? Espero que este e-mail o encontre bem. Vejo seu canal na internet, ouço e medito sobre seus comentários e os considero muito lúcidos, razão esta pela qual lhe escrevo para falar sobre um tema acerca do qual houve comentários recentes por parte do Sr. Jair Messias Bolsonaro: trabalho infantil.

Espero que minhas letras cheguem até você a fim de que, por meio de sua voz, ecoe um brado: *o trabalho infantil não pode ser aceito no Brasil do século XXI de maneira alguma.* Creio ter autoridade para falar sobre o tema.

Meu nome é Dirce Pereira da Silva e sou de Penápolis-SP, cidade em que nasci no dia 19 de dezembro de 1934. Diferentemente de você, portanto, não sou jovem: encontro-me a caminho dos 85 anos de idade e estou ciente de que cheguei ao rumo final de minha vida.

Justamente por me encontrar na etapa derradeira e última de minha existência, desejo complementar sua fala aos nossos irmãos brasileiros porque *vivi o trabalho infantil na pele*. Nunca mais terei cinco, dez ou quinze anos de idade — todo esse tempo foi perdido para vencer a fome.

O Presidente da República, nascido aqui na vizinha cidade de Glicério-SP, disse que "desde os oito anos" fazia pequenos serviços rurais como colher e quebrar milho, apanhar bananas e as colocar em caixa, etc. Em tom irônico, afirmou que o dono da fazenda quase não estava por lá — seu "capataz" (aquele que dá ordens no lugar do patrão) era Percy Geraldo Bolsonaro, ou seja, seu pai.

Aviso desde já que quem escreve esse texto é uma preta, neta de um casal de escravos que só foram alforriados após a Lei Áurea pelo lado paterno.

O meu avô João começou a vida sendo chamado de "preto João", sem nome ou sobrenome — simplesmente apelidado como um animal qualquer. Começou a trabalhar com 4 ou 5 anos de idade, assim como a totalidade de minha família. Jamais soube quem eram os seus pais, pois negros existiam em senzalas apenas para que se reproduzissem.

A minha avó Rosa teve história bastante similar à do meu avô. A diferença foi apenas a de saber o nome de seu pai e de sua mãe, que sobreviveram até depois de 13 de maio de 1888. Nenhum deles, porém, teve infância, vida ou velhice.

Ambos nasceram e morreram sem nunca ter aprendido a ler ou escrever, assim como jamais viram o mar. Meu pai, nascido em 1904, questionava-me se era verdadeiro o que ouvia falar "Dirce, aquela água toda é salgada de verdade?".

Foi por pouco que não tivemos morte e vida severina — a vida foi longa para quase todos, exceto para meu avô e minha avó maternos, os quais morreram de fome bem antes dos 30. Minha avó materna, ao que sei, chamava-se Vitória e faleceu durante o parto da minha mãe, aos 24. Cinco meses depois, por tuberculose, morreu o meu avô Vicente, que à época somava 27 anos de vida.

Meu pai se chamava Marinho Aurélio da Silva *e minha mamãe* era Maria Rita Pereira da Silva, os quais *nunca foram meus "capatazes"*. Nunca possuíram terra que fosse deles e também nunca deram ordem em nome de seus chefes.

Meu avô, minha avó, meu pai, minha mãe, meus tios e meus primos trabalhavam sim, e muito, na colheita de café e de algodão nas fazendas aqui da região noroeste paulista, onde eu e o Presidente Jair Bolsonaro nascemos.

Assim como toda minha família, *eu fui também obrigada a trabalhar nisso desde meus 4 ou 5 anos.*

Desejo sublinhar que *o trabalho infantil não se tratava de uma escolha.*

Trabalhar desde a infância era, para minha família, a única possibilidade de lutar organizadamente contra a fome. *Meu trabalho* vinha dessa necessidade e *em nada me enobreceu*, tal como jamais fez o mesmo com minha família toda.

Talvez esta necessidade de trabalhar para não passar fome venha desde quando meus ancestrais africanos vieram para o Brasil. Dentro de minha família e de tantas outras similares a ela jamais escutei que alguém se sobressaiu. A história parecia infinita: todos nasciam para trabalhar, reproduzir-se e, em seguida, morrer.

Se não houvesse fatalidades excepcionais em minha família, muito provavelmente eu mesma não conseguiria libertar-me desses grilhões da escravidão porque, embora ela já não existisse formalmente desde 1888, ainda havia a fome... e esta, impiedosamente, sempre nos rondava.

Quando o senhor Presidente falou em "apanhar milhos", confesso que senti um imenso vazio. *Nunca tive um único brinquedo na vida que não fossem espigas de milho para que fossem as minhas filhas.* Todas as minhas bonecas de milho tinham um nome, mas, já aos cinco anos de idade, eu era obrigada a acostumar-me com a ideia de ser a pior de todas as mães, pois sequer conseguia garantir algum futuro breve para essas "filhas".

Será que o Presidente da República ou alguém que jamais tenha passado fome conseguirá imaginar uma criança com 4, 5 ou 6 anos de idade que tinha espigas como filhas, e sentia a dor mais profunda que existe quando a própria mãe as arrancava das mãos de uma menina para cozinhá-las e as comer... e eu sequer podia lhes ofertar um velório digno?

Sentia-me canibalesca por ver que teria de comer minhas próprias "filhas" ou permitir que meus pais, avós ou tios as comessem. Enquanto isso, eu chorava. Muito. O senhor Presidente não deve imaginar — e espero que jamais tenha de pensar — no quanto é traumático para uma criancinha ter de mastigar seus brinquedos, amados como filhos, e se calar... porque a mesa era grande, a família idem e a fome ainda maior.

Nasci no campo, mas durante o impulso da industrialização brasileira. Os trabalhos começavam a ficar cada vez mais escassos, e aí a fome começou a nos matar de forma literal.

Embora esse fato tenha ocorrido em 1939, jamais conseguirei esquecer-me dele: muito de longe avistei meu pai chorando enquanto conversava com minha mãe, pois ele sempre foi ensinado a não demonstrar fraqueza perante sua família, o que incluía desde meu avô, seu pai, até mim, a filha. *Meu pai tinha medo, muito medo mesmo de que eu morresse, tal como as outras onze gravidezes que minha mãe perdeu.*

Eu poderia ter onze irmãos, mas sou e fui filha única de um casal em plena década de 1930. Isso não era planejamento familiar – ninguém da minha família imaginava o que era isso. Muito ao contrário: faziam piadas sobre uma suposta ausência de virilidade do meu pai, ou então que a mamãe era amaldiçoada, pois "matou" sua mãe justamente no momento em que nasceu.

Até eu tinha medo de morrer, porque se minha mãe não conseguiu levar adiante os meus possíveis onze irmãos... por qual razão eu seria a mais forte? Somente pudemos descobrir que minha mãe nunca teve outros filhos porque, em 1996, num exame de rotina, o médico constatou que ela teve *eritroblastose fetal*. O problema é que, em 1996, minha mãe já vivia em estado vegetativo por sofrer do mal de Alzheimer. Eu somente pus fim àquele pesadelo da minha infância aos quase 62 anos de idade; meu pai pôde saber de tudo cerca de três meses antes de sua morte, a qual se deu em 01.05.1996.

Voltando ao passado, meu pai e minha mãe se mudaram para a cidade a fim de procurar trabalho: ele capinava terrenos, varria, carregava lixos, até que começou a trabalhar numa olaria. A mamãe não: era lavadeira e eu, ao seu lado, permitia-lhe ampliar o número de "freguesas", como ela dizia.

O vô João ainda estava vivo quando entrei para a Escola e aprendi a ler e escrever, graças a uma das "freguesas" de minha mãe. Ela comprou cadernos e lápis. Quando vi a professora, pensei que havia encontrado finalmente o que desejava ser mas, ao comentar isso em casa, minha avó já aconselhou o papai a não permitir que eu sonhasse tão alto assim, pois sofreria. *Nem meu pai acreditava nisso: "uma professora preta? Acho que nem pode ter alguém assim".* Meu pai disse isto não por ser racista, mas por ser um preto analfabeto que nasceu em 1904 e que tinha, como única visão de mundo, a necessidade de trabalhar e sobreviver. O que se poderia esperar de um dos filhos de um casal de escravos supostamente libertos em 13.05.1888?

Só que houve, sim, a primeira professora preta: eu. Meu pai teve muito orgulho disso até a última frase de sua vida, quando disse "obrigado por existir, minha filha".

Mas, enfim, naqueles tempos a Escola pública era direcionada apenas à elite e, por isso, o ensino era bom e os professores, todos eles, recebiam bons salários. Dedicavam-se e eram existentes, tanto que com eles aprendi a aprender sempre. Se sou capaz de enviar um e-mail, algo impensável na década de 1940, é porque aprendi as lições primeiras e indispensáveis de qualquer aluno.

Havia um único problema: os cursos eram diurnos, todos eles, porque eram destinados a quem não trabalhava. Só vi cursos noturnos a partir da década de 1970 e, ainda assim, com reservas. Meus pais só me permitiram estudar se eu, pela manhã, frequentasse as aulas, mas, durante a tarde e o começo da noite, lavasse e passasse roupas junto com minha mãe... *e então, madrugada adentro, fazia minhas lições e estudava à luz de lamparina.* Minha média de sono era de aproximadamente três horas por dia.

O sono e a dor em meus músculos e em minhas mãos foram gritos sufocados em meu peito até dezembro de 1954, quando me tornei professora normalista (que lecionava para primeira a quarto anos do ensino primário). Meu avô não pôde ter o orgulho de me ver sendo respeitada pelas mesmas pessoas que sempre desrespeitaram a ele e à minha família toda.

Enquanto meu pai trabalhou na olaria, seu patrão mandava-nos as roupas de sua casa para que lavássemos. Acho que não chegava a somar 15 anos de idade quando aquele velho perguntou ao papai por quanto ele me "venderia". Muita gente pensa que pobre não é honesto, mas a minha família toda sempre foi. O motivo era simples: a única coisa que possuíamos em nossas vidas era honra. Por isso mesmo o papai disse ao patrão que, se ele repetisse aquela pergunta novamente, seria morto... e quase foi: houve a demissão. Foi inevitável.

Trabalhei como professora efetiva da rede pública do estado de São Paulo por 49 anos e 08 meses, do início de 1955 até 2004, poucos antes da minha aposentadoria compulsória (que se daria quando completasse 70 anos de idade, em 19.12.2004). Nunca faltei ou cheguei atrasada a uma única aula durante todo esse período. Jamais deixei de estar dentro de uma sala de aula, em contato direto com meus alunos, e até negligenciei minha própria saúde para jamais me ausentar. Sabe por quê? Porque, como dizia minha mãe, se eu quisesse ser respeitada por meus colegas de trabalho, todos brancos, eu deveria ser dez vezes mais correta e proba que eles.

Meu salário de professora permitiu-me cuidar melhor do papai e da mamãe, a fim de que eles pudessem ter uma velhice tranquila. Consegui fazê-lo, mas ninguém imagina o preço que tive de pagar. Meus parentes e amigos pobres afastaram-se de mim porque se sentiam envergonhados em falar com uma professora, ao passo que colegas de trabalho não aceitavam a cor da minha pele.

Essa história poderia ser interessante caso considerássemos que *minha conduta permitiu me transformar na professora que por maior tempo continuado lecionou na rede pública em toda a história do Estado de São Paulo.*

Fui homenageada pelo Governador do Estado em pessoa, durante um almoço especialmente dirigido a mim, mas... trocaria aquele almoço, aquela homenagem e qualquer outra coisa para não sofrer o que sofri.

Não sou tola. Sei que minha história é bonita e pode ser tocante. Tenho ciência até mesmo de que minha trajetória poderia ser utilizada como exemplo de alguém que veio da miséria extrema, superou tudo e encerrou sua carreira com muita dignidade, mas somente eu sei o preço que paguei por isto. Infelizmente só me apaixonei uma vez na vida e fui correspondida, mas ele era branco e eu não. A mãe dele foi contrária ao casamento e, sem forças para mais lutar, eu o vi partir para a cidade de São Paulo, onde morreu anos depois.

Não tive amores, não tive filhos, fui ignorada durante meus primeiros vinte anos de trabalho como professora e, às vésperas de completar 70 anos de idade, conquistei o que me negaram ao longo de toda a vida: respeito.

A solidão maltrata demais. Quantas pessoas deixaram de ser meus amigos por medo? Durante minha infância, todos, sem exceção. Se minha trajetória pode ser vista como um belo romance, asseguro: vivê-la na minha pele negra fez a carne que há por debaixo dela sentir muita, muita dor.

Nenhuma criança possui vocação para o crime: em 84 anos de vida posso testemunhar que nunca tive um único cheque devolvido. Se algum dia praticasse crimes, minha mãe e meu pai morreriam de desgosto, pois viveram honestamente... tão honestamente que, em nove décadas de vida, jamais viram o mar.

Não sou tola para pensar que a realidade cultural, social e política é, hoje, similar àquela de minha época. Já não estamos em 1934. O que isto significa? Que o senhor Presidente e muitos outros já deveriam ter solucionado essa questão há muitos anos, até mesmo para "enobrecer" seres humanos, mas na *época correta*.

Lugar de criança não é no trabalho, nem no crime, nem em qualquer coisa diferente de Escola e formação.

Esforce-se para que o Estado ofereça estudo de boa qualidade, Universidade para quem assim desejar, cursos técnicos, etc. O senhor, ao naturalizar sem pudor algum a necessidade de trabalho infantil, dizendo que ele "não faz mal a ninguém", oferece às crianças e aos jovens deste país somente a *servidão!*

O que pensar sobre isso? Gostaria que o Presidente Jair Bolsonaro me oferecesse uma única resposta: *se uma criança com 8, 10, 12 ou 14 anos de idade perguntar-me se vale a pena trabalhar para receber UM SALÁRIO MÍNIMO (ou menos) como retribuição de seu trabalho,* mas ao mesmo tempo um traficante garantir e provar a essas mesmas crianças que, *no mundo do crime, elas receberão 10 mil reais mensais...* o que elas optariam?

O Presidente acredita, de fato, que trabalhar por R$ 998,00 ou até menos que isso "enobrece" alguma criança ou jovem? *Não estou falando aqui de adultos,* porque esses — na maioria dos casos — já têm discernimento sobre as consequências de se envolver no mundo do crime. Provavelmente, aliás, envolveram-se com o crime porque *jamais mostraram a essas pessoas, quando ainda eram crianças, uma outra forma de mundo que não fosse a barbárie.*

Crianças e jovens ainda estão em processo de formação de valores e caráter. A Escola, garanto, é o único local em que aprenderão valores mais "nobres". Ao propor trabalho às crianças e aos jovens, o Presidente da República incentiva a maior chaga desse país, que é a *"opção"* entre *perpetuar-se na miséria física* ou na *miséria moral.*

Peço ao Senhor Presidente que tome vergonha na cara!

Perdoe-me, jovem Henry, por considerações tão extensas, mas... *não cheguei aos 84 anos de idade para ser covarde.* Demorei muitas horas para escrever tudo isso porque tive de contar com a ajuda de terceiros para digitar. Está frio e, por tal razão, minhas mãos estão mais trêmulas que de costume, tenho mal de Parkinson, mas estou viva, sou cidadã e nunca compactuei com regimes ditatoriais como esses que o Presidente idolatra — incluindo a *ditadura militar deste país.*

Vale lembrar que *eu já era professora e tinha 30 anos de idade em 1964,* quando depuseram João Goulart e implementaram uma ditadura civil-militar no país. Um dia, se você quiser, contarei em detalhes o quão horrível foi aquele período — chegaram a ameaçar de MORTE minha mãe, meu pai e minha velha avó Rosa caso eu não denunciasse meus colegas "subversivos".

Abraços,
Dirce Pereira da Silva"

Publicado na Carta Capital em 10 de julho de 2019

JAIR BOLSONARO PERPETUA OPRESSÕES COM SUA RETÓRICA DESTRUTIVA

As palavras ultrapassarão sempre o seu estado de dicionário. O que dizemos, o como dizemos, e para quem dizemos nos revela: quem somos, o que pensamos, o mundo no qual vivemos, nossos conceitos e preconceitos. E o discurso é *per se* agente de transformação social e de perpetuação de opressões.

A esta altura, suponho que todos nós já estejamos habituados ao conta-gotas destrutivo do Bolsonaro e de seu governo. Cada dia nos reserva sua cota de indignação e horror. Do baú de sandices do Bolsonaro pode sair qualquer coisa e nada indica que ele pretenda poupar munição ou diminuir a toxidade. Uma crise depois da outra, causadas tanto por assuntos tolos, quanto por questões cruciais; por falas discriminatórias, ou por simples piadas infames, mas reveladoras. É forçoso admitir: antes que tudo esse governo é uma fábrica de crises.

Tudo fica mais difícil numa semana como a que se passou, quando, num intervalo de dois dias, o presidente conseguiu ofender nordestinos, mulheres, governadores eleitos, o diretor do INPE, cineastas, um general, a jornalista Miriam Leitão... É um rolo compressor de asneiras, de alguém que evidentemente não compreende e nem dá a mínima para o poder da palavra.

O meu caminho se cruzou com o do Bolsonaro quando resolvi reunir em vídeo algumas pérolas inaceitáveis do então pré-candidato à presidência. Havia um vasto material à disposição, isto desde o final dos anos 90. Numa das entrevistas mais controversas dele, concedida ainda durante o governo FHC, o deputado federal Jair Bolsonaro defendeu a tortura, o assassinato de opositores políticos, uma guerra civil na qual morreriam inocentes ("em toda guerra morrem inocentes", disse Bolsonaro sem qualquer demonstração de suscetibilidade ou mesmo humanidade) e ele também aproveitou para afirmar que, se fosse eleito presidente, fecharia o Congresso no mesmo dia, vez que o Parlamento não servia para nada. Pra nada!, enfatizou.

Bem, estas afirmações já deveriam ser o suficiente para que ele nunca mais ocupasse qualquer cargo eletivo na vida, alguém com uma retórica diametralmente oposta à democracia e ao Estado de direito. Aliás, é lícito supor que, em certos países, alguém com este tipo de retórica poderia acabar na cadeia por atentar contra as instituições e instigar a violência e subversão da ordem pública.

Mas, como sabemos, nada disto aconteceu. Bolsonaro se reelegeu várias outras vezes depois e, hoje, é o presidente do Brasil. Sim, democraticamente, a população brasileira elegeu uma figura antidemocrática.

É óbvio que, para isto, ele teve de abrandar ligeiramente o discurso, mesmo sem termos certeza se as convicções da entrevista acima haviam mudado. Aliás, este é o nosso temor, que o mesmo Bolsonaro 1999 subsista pleno no interior do Bolsonaro 2019, principalmente porque, vez ou outra, estas tendências autoritárias e antidemocráticas terminam por transparecer de maneira inequívoca nas falas públicas dele.

O maior problema, e foi o que descobri ao compilar tais "pérolas" do Bolsonaro, é que uma crescente parcela de brasileiros também pensa como ele, que já não confia mais nas instituições democráticas e está disposta a abrir mão de liberdades tão duramente conquistadas para seguir um governante populista e despreparado. Ante o medo, o homem procura um monstro que o defenda, disse Mia Couto.

As palavras não são meras palavras também em função de seu enunciador, e quando brotam da boca do presidente do Brasil frases ofensivas que reforçam estereótipos, que ofendem, que demonizam, que segregam e que, em última instância, potencializam e legitimam a violência contra determinados grupos, então podemos ter certeza que, na encruzilhada da História, em algum momento, como Dante, perdemos *"la diritta via"*, e parece estarmos mesmo afundando no inferno.

Quantas feras guardam esse caminho? Será que ainda há tempo para dar meia-volta e encontrarmos trilha mais benfazeja?

Ou o labirinto infernal é sem volta e só no final dele encontraremos purgatório e, finalmente, a luz?

Publicado na Carta Capital em 24 de julho de 2019

ELES NÃO PODEM VENCER: A INTOLERÂNCIA NÃO PODE SUFOCAR A VOZ DOS TOLERANTES

Em 22 de julho de 2011, Anders Breivik cometeu o pior atentado terrorista da História norueguesa, matando 77 pessoas. Primeiro, ele detonou um carro-bomba na frente de um edifício governamental e, em seguida, rumou para a ilha de Utøya, onde estava sendo realizado um encontro de jovens líderes do Partido Trabalhista, e abriu fogo contra centenas de adolescentes.

Este não foi o primeiro atentado perpetrado por um extremista de direita, mas, sem dúvida alguma, criou uma estética que passou a ser reproduzida posteriormente. Assim como ele mesmo previu, os atos de Breivik se tornaram uma brutal referência para a direita radical.

Horas antes de cometer o atentado, o terrorista enviou para sua lista de contatos um manifesto com quase 1500 páginas explicando a sua visão de mundo. Nele, você reconhece temas recorrentes da extrema-direita, tanto brasileira quanto estrangeira: antimarxismo, antifeminismo, repúdio a minorias étnicas, religiosas e culturais, elementos de fascismo, supremacia branca e rejeição ao progressismo e multiculturalismo; em essência, a agenda dita "conservadora" atual e que pode ser identificada tanto na fala de determinados políticos direitistas quanto de influenciadores digitais.

Em 15 de março de 2019, inspirado no atentado de Breivik, o australiano Brenton Tarrant invadiu duas mesquitas na cidade de Christchurch, na Nova Zelândia, e assassinou a sangue frio 51 fiéis muçulmanos. Tarrant também publicou um manifesto em fóruns da internet, conhecidos como chans, onde extremistas se congregam e compartilham livremente suas noções intolerantes e repletas de ódio, inclusive celebrando quando este tipo de massacre é realizado.

Então, semana passada, Patrick Crusius viajou do subúrbio de Dallas por nove horas até a cidade de El Paso, na fronteira dos EUA com o México, entrou num shopping center e disparou contra as pessoas, matando 22 pessoas, em sua maioria imigrantes ou descendentes de imigrantes mexicanos. Ele também publicou um manifesto num fórum da internet, o 8chan, conhecido por seu conteúdo altamente tóxico.

Nestes três casos, unidos por um padrão reconhecível, identificamos pelo menos dois grandes problemas.

O primeiro deles tem a ver com o poder da retórica intolerante e da livre propagação do ódio pelas redes sociais.

Sabemos que há pessoas racistas e repletas de ódio neste mundo, mas, geralmente, elas se mantêm isoladas ou reunidas em pequenos grupos. No entanto, a internet abriu a possibilidade para que estes indivíduos pudessem se encontrar onde quer que estejam no mundo e, através do contato com outros extremistas, reforcem as suas convicções. Já sabemos também que a própria estrutura da internet favorece a radicalização. As redes sociais, em particular, operam através de formação de bolhas e da recomendação de conteúdo que aumente o nosso engajamento e interação.

Ano passado, o ex-engenheiro do Youtube Guillaume Chaslot revelou que o algoritmo da plataforma tende a recomendar conteúdos cada vez mais sensacionalistas e extremados para manter o usuário engajado. Como podemos imaginar, isto tende a acentuar visões limítrofes da realidade e convicções gradualmente mais radicais. O documentário da Netflix *A Terra é Plana* (Behind the Curve) explica como o Youtube é um dos espaços de propagação de conteúdos que defendem a teoria conspiratória da planicidade da Terra e, por mais espantosa e bizarra que seja esta crença anticientificista em pleno século XXI, os terraplanistas ainda são bastante inofensivos em comparação aos conteúdos de ódio também propagados livremente nas redes sociais.

Portanto, não podemos menosprezar o papel da internet e das redes sociais em todo este processo.

O segundo problema é que a retórica é apenas um estágio inicial num ciclo de intolerância. Defensores da liberdade de expressão irrestrita argumentam que, ao permitirmos que até ideias nocivas sejam veiculadas, também podemos, deste modo, monitorá-las e confrontá-las. Em contraposição, vale também recordar o famoso "paradoxo da tolerância", como apresentado pelo filósofo Karl Popper em sua obra "A Sociedade Aberta e seus Inimigos" — *"Tolerância ilimitada leva ao desaparecimento da tolerância. Se estendermos ilimitada tolerância mesmo aos intolerantes, se não estivermos preparados para defender a sociedade tolerante do assalto da intolerância, então, os tolerantes serão destruídos e a tolerância com eles. — Nessa formulação, não insinuo, por exemplo, que devamos sempre suprimir a expressão de filosofias intolerantes; desde que possamos combatê-las com argumentos racionais e mantê-las em xeque frente a opinião pública, suprimi-las seria, certamente, imprudente. Mas devemos nos reservar o direito de suprimi-las, se necessário, mesmo que pela força; pode ser que eles não estejam preparados para nos encontrar nos níveis dos argumentos racionais, mas comecemos por denunciar todos os argumentos; eles podem proibir seus seguidores de ouvir os argumentos racionais, porque são enganadores, e ensiná-los responder argumentos com punhos e pistolas. Devemos, então, nos reservar, em nome da tolerância, o direito de não tolerar o intolerante."*

A livre circulação de ideias intolerantes, racistas, homofóbicas, de supressão ou eliminação de opositores políticos e ideológicos, fatalmente leva também, em algum momento, a atos violentos. Sempre haverá alguém capaz de matar o outro por causa de uma retórica de ódio e, assim como afirma Popper, encontramo-nos então no estágio quando os intolerantes destroem os tolerantes e, com eles, a própria tolerância.

Que Breivik, Tarrant e Crusius tenham sido capazes de sair armados de suas casas e assassinado friamente completos desconhecidos a partir de uma obtusa noção de que estes representavam algum tipo de ameaça a seus países ou etnia (caucasiana), é uma evidência que a retórica tem um poder devastador quando tornada prática, que, aliás, é o fim de toda retórica: que se concretize no mundo real.

Há uma enorme dificuldade em confrontar este fato, principalmente quando esta retórica intolerante deixa de pertencer às margens da política e chega ao centro do poder em figuras como Bolsonaro, Trump, Orbán e Salvini.

O que se dá é a dissolução do pacto social que sustenta a convivência mais ou menos harmoniosa entre os diferentes, quando a existência do Outro passa a ser vista como uma ameaça existencial.

Christopher A. Wray, diretor do FBI, relatou recentemente que, nos EUA, "a maioria dos casos de terrorismo doméstico que temos investigado são motivados por algum tipo daquilo que poderíamos chamar de violência supremacista branca", o que certamente é decorrente de grupos inflamados por um presidente que não tem o menor pudor de proferir comentários racistas até mesmo contra congressistas norte-americanos.

Este é um movimento que brota do ressentimento de uma classe que pensa ver seus privilégios em risco por causa da visibilidade de minorias historicamente marginalizadas e oprimidas. É uma reação a um mundo mais inclusivo, mais justo, mais tolerante. E o mais paradoxal de tudo é que esta violência é perpetrada por sujeitos que dizem estar defendendo o Cristianismo – uma religião, que em sua própria origem, prega o amor incondicional ao próximo. Estes são os templários do ódio.

Mas eles não podem vencer. Definitivamente, a intolerância não pode sufocar a voz dos tolerantes.

Referências:
How YouTube Built a Radicalization Machine for the Far-Right
https://www.thedailybeast.com/how-youtube-pulled-these-men-down-a-vortex-of-far-right-hate

Rise of far-right violence leads some to call for realignment of post-9/11 national security priorities
https://www.washingtonpost.com/national-security/rise-of-far-right-violence-leads-some-to-call-for-realignment-of-post-911-national-security-priorities/2019/08/05/5a9b-43da-b7ad-11e9-a091-6a96e67d9cce_story.html

Publicado na Carta Capital em 7 de agosto de 2019

O PERIGOSO JOGO IRRACIONAL DE BOLSONARO E UM FUTURO QUE APONTA PARA O RETROCESSO

Nestes últimos dias, algumas pesquisas de popularidade do governo e do presidente Bolsonaro foram publicadas e os achados coincidem com a percepção que muitos de nós temos: de que Bolsonaro tem desidratado dia após dia.

Em condições normais, com um governo normal encabeçado por um governante normal, isto indicaria um momento de redefinição estratégica e de mudança de rumos.

"Onde estamos errando e como consertar?", indagaria-se qualquer pessoa minimamente razoável.

Mas esta não é a resposta que obtivemos de Bolsonaro, alguém que está muito distante de qualquer presidente normal. A contestação oficial é que as pesquisas não indicam nada, que não têm credibilidade e, nas profundezas destas afirmações, sempre reside algum tipo de teoria conspiratória, do tipo "há um complô entre a mídia comunista para derrubar o presidente".

A psiquê humana é fascinante, e certamente não é apenas o Bolsonaro que tem esta reação de atribuir os fracassos aos outros e os sucessos a si mesmo. "Se deu errado, é porque estão agindo contra mim (ONGs, militantes, a 'extrema-imprensa', o presidente da França, etc.), se melhorou, é por minha causa."

No entanto, isto também revela outra faceta que sempre esteve integrada em toda a retórica altamente ideologizada do Bolsonaro. Se há algo que ele compreendeu, ainda quando era deputado, era que ele não precisava agradar todo o eleitorado, bastava que dialogasse com aquela parcela que poderia mantê-lo na política. E na presidência também não é tão diferente assim.

O discurso bolsonarista visa dialogar apenas e simplesmente com suas bases radicais. Bolsonaro não precisa falar com o eleitor comum, aquele que não integra nenhuma posição partidária rígida e vota de acordo com para onde sopram os ventos.

Muitos que votaram em Bolsonaro estavam mais preocupados em fugir do PT e evitar que este partido retornasse ao poder do que de fato compactuava com as ideias excêntricas — isto para não dizer criminosas, antiéticas e antidemocráticas — do candidato.

O antipetismo, como uma força carregada com um profundo apelo emocional, insuflada pelo medo e pelo ódio a um partido que, no imaginário do brasileiro, passou a enfeixar os piores atributos imagináveis e a erguer sobre os ombros o peso de todos os males do Brasil, foi muito maior do que a racionalidade. Inclusive, talvez este seja um dos maiores equívocos dos progressistas e de outras alas da esquerda: acreditar que os eleitores tomam decisões conscientes, refletidas e esclarecidas na hora de selecionar um candidato. E é por isto que ainda há uma enorme dificuldade para estes grupos compreenderem a ascensão de Bolsonaro, um sujeito que representa o ápice da irracionalidade e que simbolizou a revolta e a insatisfação dos eleitores. "Pior do que está não fica", diziam, embora esta frase seja um baita equívoco, já que sempre pode piorar.

E o retrocesso que este governo tem significado é muito maior do que um retorno a práticas políticas condenáveis do passado, como o flerte com a ditadura, repressão e autoritarismo. É, antes e acima de tudo, um retrocesso moral e intelectual, quando valores civilizatórios básicos de respeito e aceitação do outro são abandonados em prol de uma mentalidade tribal e excludente. "Quem está contra mim, deve ser silenciado ou eliminado".

Seria um erro atribuir a crescente rejeição dos eleitores ao Bolsonaro a uma tomada de consciência destes retrocessos, porque não é. Muito do que Bolsonaro diz e faz hoje ele já fazia e dizia durante a campanha eleitoral ou ao longo de suas quase três décadas como parlamentar. Bolsonaro jamais tentou se vender como aquilo que ele não era. Todos sabiam o que estavam comprando.

A rejeição ocorre justamente porque, uma vez no poder, tudo que ele diz e faz toma proporções continentais e internacionais e isto tem o potencial de tornar o Brasil num pária, isolando o país diplomaticamente e consolidando a percepção de que um rei louco está controlando o leme na maior nação latino-americana.

A rixa entre Macron e Bolsonaro, por exemplo, mais do que uma disputa sobre a devastação da Amazônia, foi uma hábil jogada do presidente francês para se posicionar como um dos líderes dos países democráticos livres, unindo atrás de si outros países que estão no limiar de uma queda para a extrema-direita. Ao opor-se a Bolsonaro, Macron está, na verdade, mandando uma clara mensagem para líderes populistas, como Trump, Orbán, Boris Johnson agora no Reino Unido, Salvini, de que ainda haverá quem lute pelas agonizantes democracias liberais ocidentais. Talvez seja um ato de arrogância de Macron atribuir-se tal liderança, mas ela tem servido a dois propósitos: acentuar para o mundo a aberração deste governo bolsonarista e revisitar alguns dos valores históricos da França revolucionária que, insuflados por pensadores iluministas, serviriam de inspiração para as instituições e práticas democráticas que hoje estão ameaçadas e às quais nos agarramos como náufragos num oceano de obscurantismo.

A França, aquele mesmo país que transmitiu ao mundo seu espírito revolucionário contra déspotas e tiranos, será mais uma vez um exemplo para as democracias em perigo, ou o futuro será o retrocesso, o autoritarismo e a irracionalidade?

Publicado na Carta Capital em 4 de setembro de 2019

A MILITÂNCIA BOLSONARISTA EM "SE OLAVO DISSE, ELE TEM RAZÃO"

Esta semana, Olavo de Carvalho, o astrólogo guru do bolsonarismo, propôs a criação de uma militância pró-Bolsonaro, isto é, a formação de grupos em defesa do presidente não importando o que ele fizer/disser. A prioridade é proteger o governante contra seus inimigos, ignorar eventuais denúncias de corrupção que envolvam o clã Bolsonaro e concentrar-se naquilo que eles entendem como "revolução conservadora".

A simples noção de militantes pró-Bolsonaro já é esdrúxula por si própria, posto que nos remete a alguns dos períodos mais obscuros da História recente da política mundial. São justamente governantes autoritários aqueles que recorrem a milícias e militantes em torno de sua personalidade; basta nos lembrarmos da Juventude Hitlerista, que visava desde cedo inculcar nos jovens alemães a devoção ao líder supremo nazista.

Não demorou para que, horas depois, Allan dos Santos, um dos mais afoitos discípulos do Olavo e acusado pelo músico Lobão, ex-amigo do ideólogo e ex-apoiador do Bolsonaro, e por Alexandre Frota, outro que caiu na desgraça diante do governo, de ser um dos cabeças das milícias virtuais bolsonaristas, criasse um formulário para recrutamento de militantes, portanto, da ideia à prática. "Se Olavo disse, então, obviamente, ele tem razão."

A militância é parte integral de diferentes lutas políticas, incluindo de pautas propositivas e em prol de direitos humanos básicos ou do meio ambiente. A militância não é, em sua natureza, algo negativo. Para muitas ideias, especialmente quando são nobres e justas, a militância se faz necessária. É difícil conceber grandes mudanças estruturais na profundamente racista sociedade norte-americana, por exemplo, sem os esforços de militantes por direitos civis, constantemente protestando nas ruas e tornando visíveis suas pautas. O mesmo vale para lutas por direitos trabalhistas, das mulheres ou da comunidade LGBTQ+. São manifestações visando o reconhecimento de indivíduos há muito oprimidos, marginalizados ou minoritários. É um embate por legitimidade e aceitação.

Por outro lado, é mais complicado compreender a função de uma militância pró-governo, ou até mais do que isto, pró-líder deste governo. Como representante eleito, com sua base de eleitores, a legitimidade dele já é o resultado das urnas. É evidente que os partidos possuem a sua militância, mas que geralmente se agregam em torno de seus programas, não em torno de personalidades.

Particularmente, vejo grandes riscos na personalização da política, orbitando lideranças fortes, em especial quando tais lideranças demonstram uma profunda inclinação antidemocrática, pois isto abre as fissuras para uma projeção messiânica que desde há muito está presente na sociedade brasileira – a expectativa de que o líder, neste caso o presidente, vá resolver todos os problemas dos brasileiros. Isto é autoengano, já que, nem mesmo em regime autocráticos, um líder consegue se sustentar sem uma base consistente de apoiadores, tampouco possui poderes extraordinários para sanar todas as mazelas de suas nações, aliás, autocratas costumam mais se importar com as elites que os sustentam no poder do que de fato com a população como um todo. O banquete é para os amigos, as migalhas para todos os demais.

O que tem havido, e isto se reflete nesta convocação de Olavo de Carvalho, é uma escalada rumo à radicalização de posições. Primeiro, Bolsonaro é alçado ao status de mito, isto antes mesmo da eleição, depois, de líder supremo e inconteste desta revolução conservadora que promete ser a única possibilidade desta extrema-direita tupiniquim de pôr um fim à tal "hegemonia esquerdista" que povoa seus pesadelos.

Este muro de contenção tem dois objetivos principais: o primeiro, de sufocar o esvaziamento da base bolsonarista, graças aos crescentes índices de impopularidade do presidente, portanto, é fundamental que esta militância ocupe as redes sociais e, possivelmente, as ruas, como uma demonstração de força, de que ainda há um resquício de vitalidade no governo, e, em segundo lugar, para consolidar a influência ideológica de Olavo de Carvalho e seus discípulos nos rumos do país, pois, em praticamente nenhuma outra circunstância em nenhuma outra administração, o astrólogo da Virgínia encontraria eco para suas teorias conspiratórias, seus insultos e seus pensamentos destrutivos. No fundo, a união entre Olavo e Bolsonaro foi o casamento perfeito entre ideias estapafúrdias e alguém capaz de aplicá-las na política.

Enfim, a formação desta militância bolsonarista é o último suspiro de Olavo no intuito de resguardar a sua influência e manter-se relevante. A defesa de Bolsonaro é, na verdade, o instinto de autopreservação de Olavo em ação. Sem Bolsonaro, Olavo voltará a ser a mera excentricidade que sempre foi, motivo de idolatria cega entre seus seguidores, mas de chacota e desprezo na Academia e por qualquer um que compreenda a futilidade de suas ideias.

Uma militância bolsonarista é, antes e acima de tudo, uma militância olavista. O delírio de um ególatra se agarrando às paredes do poço no qual precipitou o Brasil.

Publicado na Carta Capital em 19 de setembro de 2019

CONTRA BOLSONARO E SUA PEQUENEZ, A OBRA DE CHICO BUARQUE SOBREVIVERÁ

O Prêmio Camões é um dos mais prestigiados em língua portuguesa e anualmente concede 100 mil euros a expoentes literários lusófonos pelo conjunto de sua obra. Já foram premiados: Raquel de Queiroz, Saramago, João Ubaldo Ribeiro, Mia Couto, Dalton Trevisan, entre outros gigantes. É praticamente o Nobel de Literatura da língua portuguesa.

Esta é uma premiação conjunta entre Portugal e Brasil e, antes de tudo, é uma política de Estado que desde 1989 promove a lusofonia.

Neste ano, o ganhador do Camões foi Chico Buarque, um artista brasileiro que dispensa apresentações: cantor, compositor, dramaturgo, poeta e romancista. Durante décadas de carreira, enfrentou a ditadura e compôs um dos mais memoráveis repertórios da MPB. Goste você ou não, Chico Buarque é um dos grandes artistas brasileiros e receber o Prêmio Camões é uma bela homenagem ao seu brilhantismo, sua versatilidade e sua biografia.

No entanto, há uma pedra no caminho, no caminho há uma pedra: Jair Bolsonaro.

Por ser um prêmio conjunto entre Brasil e Portugal, o diploma de premiação precisa ser assinado pelos representantes dos dois países. Só que Chico Buarque é um ácido crítico deste mesmo presidente que tem de assinar o documento que premia seu crítico.

Já temos tido claras evidências de que Bolsonaro tem uma mentalidade patrimonialista e que não sabe distinguir entre governo e Estado, nem entre sua família e governo; a insistência no nome de seu filho para o cargo de embaixador é uma delas. Nepotismo? Chama de corrupto, porra!

Bolsonaro pensa no governo e, por extensão, no próprio Estado brasileiro, como parte de sua família, e nesta família quem manda é ele.

Um governante que soubesse fazer esta distinção, mesmo sob críticas de artistas, intelectuais e da imprensa, teria a nobreza e o senso cívico de assinar o diploma premiando mesmo quem o critica, mesmo que a mão tremesse, mesmo a contragosto, mas isto exigiria integridade e respeito às normas republicanas, algo que o Bolsonaro jamais demonstrou. "O Estado sou eu" é uma frase atribuída ao monarca absolutista Luís XIV. Certamente este rei francês também não assinaria um diploma premiando seus desafetos.

"Até 31 de dezembro de 2026 eu assino" foi resposta de Bolsonaro, arrogantemente já supondo que pode a vir se reeleger.

O caso Chico Buarque não revela apenas o patrimonialismo bolsonarista, mas também apresenta mais um indício das suas constantes investidas contra os artistas e a produção cultural brasileira, principalmente quando possui um viés progressista. Assim como "nos áureos tempos do regime militar", que Bolsonaro tanto admira e tenta emular, a Arte deve ser um espaço de defesa dos valores tradicionais, sabe-se lá quais sejam tais valores. É o falso moralismo em sua mais pura expressão. Para a cabeça retrógrada do presidente, um artista que ouse retratar um mundo diverso, com suas contradições, é imoral, mas até mais do que isto, é um risco à estabilidade social. E, claramente, mais uma vez sob a ótica patrimonialista do Bolsonaro, de "O Estado sou eu", ele não pode permitir isto.

Então, partindo de um exemplo bastante inusitado, o Prêmio Camões, temos novamente a demonstração da pequenez moral e intelectual do atual governante. Comprando picuinhas desnecessárias, criando crises absurdas e mais uma vez expondo para os brasileiros e para o mundo o tremendo erro histórico que cometemos como nação. Ignoramos estas forças que foram fermentadas nas profundezas da sociedade brasileira e agora somos obrigados a lidar com as consequências disto.

Mas algo me reconforta: a obra do Chico resistirá e sobreviverá, como já resistiu e sobreviveu, o atraso. E a Arte, enfim, prevalecerá.

Publicado na Carta Capital em 18 de outubro de 2019

UM RECADO À CPMI DAS FAKE NEWS SOBRE OS INIMIGOS DA VERDADE

Neste momento, está ocorrendo a CPMI das fake news no Senado para investigar a propagação da desinformação no processo eleitoral e como enfrentá-la.

Terça-feira, questionaram Allan dos Santos, o responsável pelo site e canal no Youtube Terça Livre, suspeito de ser financiado diretamente por Eduardo Bolsonaro em sua nova vida em Brasília como um dos líderes das milícias virtuais bolsonaristas.

No entanto, já questiono a ineficácia da oposição em:
1 – compreender o fenômeno das fake news, e
2 – lidar com os tentáculos da desinformação dentro do governo.

Boa parte da esquerda brasileira ainda não entendeu o que aconteceu nestas últimas eleições e as engrenagens que levaram Jair Bolsonaro ao Palácio do Planalto.

Então vamos recapitular.

Bolsonaro é um fenômeno que brotou nas redes sociais sobre um terreno fértil semeado por inúmeros influenciadores ao longo de anos. Embora Bolsonaro tenha começado a surgir com certa força no debate político de 2016 em diante e só ser levado a sério como um forte candidato à presidência em meados de 2018, todo o cenário para a ascensão desta retórica extremista de direita já estava preparado.

Olavo de Carvalho já dava suas aulas on-line desde há muito tempo e havia criado levas e mais levas de discípulos, alunos e seguidores curiosos. Se enumerarmos alguns aqui perceberemos o estrago que foi feito: Kim Kataguiri, Alexandre Frota, Felipe Moura Brasil, Nando Moura, Lobão, Luiz Philippe de Orléans e Bragança, Joice Hasselmann, Bia Kicis, Felipe G. Martins, o próprio Allan dos Santos, Carlos e Eduardo Bolsonaro, Abraham e Arthur Weintraub, entre vários outros que hoje ocupam cargos no governo Bolsonaro, que foram eleitos parlamentares ou atuam na mídia. Vários destes caíram no desagrado do guru, que atua de fato com um *modus operandi* de seita de fanáticos e, tal qual um líder incontestável, não perdoa dissidentes. Inclusive, muitos dos que estão agora dando com a língua nos dentes conhecem muito bem os procedimentos olavistas.

Bolsonaro floresceu num ambiente ideológico em parte cultivado por Olavo e seus discípulos, em parte decorrente da sanha revanchista do antipetismo e lavajatismo. Somando-se a isto uma profunda crise política e econômica, a facilidade de acesso às redes sociais e uma população tremendamente insatisfeita, tínhamos diante de nós uma tempestade perfeita.

Sendo assim, as fake news fornecerem a argamassa para disseminar o medo e o ódio dos brasileiros, mesmo quando estas notícias falsas eram completamente absurdas e inverossímeis. A crescente polarização política não foi um acidente, foi um projeto e que favoreceu ainda mais as mentiras propagadas. No fundo, não importava se era verdade ou mentira, as pessoas queriam simplesmente acreditar porque isto dava um pouco de ordem e estabilidade ao mundo caótico ao seu redor, ao mesmo tempo em que despontava alguém que prometia restaurar tal ordem, um *outsider*, um político que se vendia como antissistêmico. Portanto, repito, a ascensão de Bolsonaro e da extrema-direita pertence a um projeto de desconexão da interpretação do mundo de seus respectivos fatos, e de uma eventual reconstrução a partir da criação de uma constelação de inimigos imaginários à espreita para destruírem o Brasil e seus supostos valores tradicionais. Possivelmente este projeto não visava exatamente o surgimento de uma figura despreparada como Bolsonaro, mas, sem dúvida alguma, abriu caminho para tal.

A desinformação, ou as fake news, não é uma anomalia neste momento, mas é o fundamental para este novo mundo no qual já não sabemos navegar entre verdade e mentira.

A CPMI das fake news será ineficaz porque seus integrantes parecem ter dificuldades para constatar a simbiose entre esta ruptura política simbolizada pelo governo Bolsonaro e a mentira, pois, sem elas, ele sequer teria sido eleito ou despontaria como uma promessa de transformação/renovação política. E outro limite também é como trabalharemos com as zonas limítrofes entre interpretação da realidade e fatos, entre equívoco e mentira, entre jornalismo sério — enquanto uma atividade que se dá em tempo real e maneira fragmentária — e um pseudojornalismo malicioso que distorce tudo que toca.

É evidente que o esforço para combater a desinformação é louvável, porém, sem o confronto ao substrato ideológico que justifica o uso da desinformação como arma de combate político, com um grave potencial corrosivo numa sociedade democrática, qualquer judicialização ou criminalização da prática será bastante ineficaz. Será uma tentativa de minimizar os sintomas sem jamais confrontar suas causas.

O câncer que está matando o debate político brasileiro é, em sua essência, ideológico e parte de uma estratégia de que tudo é permitido para destruir seu inimigo. Eles pensam estar travando uma guerra cultural e, nesta guerra, vale tudo:

a suspensão de comportamentos éticos, o desprezo a valores religiosos que eles alegam defender e, acima de tudo, uma rejeição da verdade. Os que se arrogam defensores da verdade são, em essência, seus maiores inimigos.

Publicado na Carta Capital em 8 de novembro de 2019

UMA NOVA MARCHA AUTORITÁRIA ESTÁ EM CURSO – E NÃO APRENDEMOS NADA

Eu adoraria acreditar que nós, como sociedade, aprendemos alguma coisa com a História e, deste modo, com os acertos e erros pretéritos.

No diálogo platônico "Timeu", vemos o personagem inspirado no ateniense Sólon ouvir de um sábio egípcio que "os gregos não passam de crianças", dando a entender que, ao contrário dos egípcios, os gregos eram um povo sem memória, sem História, sempre começando de novo.

Assim como no texto de Platão, também tenho esta impressão, que somos sempre crianças, sem memória, em parte por ignorância, em parte por negligência. Não damos o devido valor às grandes lições históricas, mas, frequentemente, sequer as conhecemos. Um grande erro foi, por exemplo, a ampla anistia aos crimes cometidos por agentes do Estado durante a ditadura militar no Brasil. Tentar apagar o erro sem precisar retificá-lo.

A nossa incapacidade de lidar com a barbárie dos anos de chumbo, de confrontar este passado, é justamente aquilo que permite hoje a manifestação de um mórbido saudosismo pela ditadura. Pouco mais de 30 anos depois da redemocratização, vemos pessoas nas ruas e na política clamando pela repressão, por um novo AI-5, por golpes de Estado, por rupturas institucionais.

O mais surpreendente é que não estamos sozinhos nessa onda. Mesmo em países onde a memória histórica foi cultivada nas escolas e na vida pública, também é possível perceber esta nova marcha autoritária; mesmo na Alemanha, talvez o país que mais sofreu com esta culpa coletiva pelos grandes horrores perpetrados em nome de uma ideologia nefasta, também encontramos grupos flertando com uma retórica assustadora.

Em 2012, foi lançado o livro, depois adaptado também ao cinema, "Ele está de volta" de Timur Vermes. Esta trama de humor negro nos mostra o retorno, aos dias de hoje, do ditador Adolf Hitler, surgindo numa Alemanha contaminada por um sentimento xenófobo e repleta de ressentimento. Ao contrário do que poderíamos imaginar, esta nova volta de Hitler, vista como piada por muita gente, vai gradualmente se infiltrando no imaginário alemão atual e se naturalizando. "Ele diz o que todos nós pensamos", é uma frase que perpassa toda a obra, "ele (Hitler) não se curva ao politicamente correto".

Uma série que também explora este espírito populista e autoritário é "Years and Years", da BBC em parceria com a HBO. Ao longo de seus seis episódios, eles tentam fazer uma projeção de como serão os próximos anos no Reino Unido e no mundo. Mais uma vez, visualizamos exatamente a mesma retórica excludente e perigosa, de confronto "ao politicamente correto" e que, no fundo, é uma defesa aberta do discurso racista e intolerante. Não é uma projeção animadora, embora seja bastante realista.

A ficção pode nos ajudar a entender o que está acontecendo e, quem sabe, funcione até melhor do que as advertências provenientes da História.

"Nunca mais" foi um dos slogans repetidos após o Holocausto, uma advertência também explicitada no artigo "Educação após Auschwitz" de Theodor Adorno, que defende a necessidade de jamais nos esquecermos do que ocorreu.

Mas nós nos esquecemos. Não estamos observando os alertas. Estamos desprezando os padrões. Somos sempre crianças, e foi justamente o ideal do vigor da juventude um dos nutrientes essenciais do fascismo — lembremo-nos da Juventude Hitlerista, pois os jovens são o futuro da ideologia, são "quadros em branco" nos quais devemos inculcar a grandiosa mensagem do líder incontestável.

    Devemos resgatar a memória da barbárie e dela extrair suas mais cruciais lições, pois o futuro não precisa ser o passado.

    E que repitamos sempre: nunca mais!

Publicado na Carta Capital em 22 de novembro de 2019

NO BRASIL DE BOLSONARO, DESUMANIZAÇÃO E VIOLÊNCIA CAMINHAM DE MÃOS DADAS

Toda barbárie começa necessariamente com a desumanização do Outro, de algum grupo específico que passa a simbolizar o mal ou a impureza.

A propaganda nazista comparava os judeus a uma infestação de ratos e, quando o quadrinista Art Spiegelman escreveu sua obra *Maus* ("rato" em alemão), retratando a história de seu pai como sobrevivente do Holocausto, ele tomou a controversa decisão de representar os judeus na história como ratos, explicitando justamente esta desumanização que se deu durante a "Solução Final para a Questão Judaica".

Ratos, porcos, vermes, cães, imundos, repugnantes, baratas, todas estas atribuições são utilizadas na desumanização.

Mas isto não se dá apenas contra minorias étnicas, religiosas ou políticas, às vezes, desumaniza-se toda uma classe social como costuma ocorrer no Brasil com os mais pobres. Este tem sido o legado, escravagista em grande parte, que legitima a percepção de pobres como subumanos, como indivíduos com menor dignidade e que merecem um tratamento diferenciado, isto é, menos digno.

O tenente-coronel Ricardo Augusto Nascimento, o novo comandante da Rota em SP, disse recentemente em uma entrevista concedida ao UOL que *"se ele [policial] for abordar uma pessoa [na periferia] da mesma forma que ele for abordar uma pessoa aqui nos Jardins [região nobre de São Paulo], ele vai ter dificuldade. Ele não vai ser respeitado (...) Da mesma forma, se eu coloco um [policial] da periferia para lidar, falar com a mesma forma, com a mesma linguagem que uma pessoa da periferia fala aqui no Jardins, ele pode estar sendo grosseiro com uma pessoa do Jardins que está ali, andando (...) O policial tem que se adaptar àquele meio que ele está naquele momento"*, ou seja, o policial deve tratar o pobre como um bandido potencial, enquanto resguarda o direito constitucional de presunção de inocência apenas para os ricos. Para o pobre é porrada, grosseria e insultos; para os ricos, gentileza e suquinho numa bandeja.

E o exemplo mais claro e triste disto foi a abordagem policial criminosa em Paraisópolis. A desumanização do pobre em sua expressão mais evidente.

Em essência, pouco tem a ver com o baile funk, mas sim com quem o frequenta. O assassinato de 9 adolescentes por causa da atuação da polícia, além de ações posteriormente reveladas em vídeo nas redes sociais — como de um policial com uma vara esperando os jovens na saída de um beco, agredindo-os e rindo —, expressa uma aversão ao pobre tornada violência e justificada pela desumanização.

Não podemos imaginar que, em uma sociedade minimamente pautada por valores civilizatórios, que as pessoas encarariam tais cenas de abuso e brutalidade policial como aceitáveis, pois não são.

Não é aceitável, muito menos compreensível, que você veja o seu filho saindo à noite com os amigos e descubra, horas mais tarde, que ele foi morto pela polícia porque estava se divertindo.

Além da desumanização, outra engrenagem essencial da barbárie, e que é consequência imediata da primeira, é a banalização da violência. Quando já não há mais o horror diante do horror, quando as pessoas já não se comovem diante do sofrimento alheio, neste caso em particular o sofrimento de adolescentes de 13 a 19 anos, como se eles fossem merecedores da agressão e da morte pelo simples fato de serem pobres e gostarem de funk, os limites da brutalidade desaparecem.

Você não precisa gostar de funk para compreender que ninguém merece morrer porque estava num baile funk, e basta um pouquinho de bom senso para saber também que agentes do Estado não deveriam ser agentes de terrorismo perpetrado pelo Estado.

Situações como a de Paraisópolis, que são bem mais corriqueiras do que poderíamos supor, afinal de contas, esquadrões da morte e milicianos estão atuando em muitos pontos do país, cometendo chacinas — só no estado do Rio de Janeiro nestes últimos 10 anos foram contabilizadas mais de 400 chacinas — e aterrorizando moradores de comunidades, leva-me a constatar que o pacto civilizatório no Brasil está agonizando graças um perene ímpeto de violência e brutalidade que corre nas veias históricas do país.

A barbárie está nos espreitando no final do beco com arma na mão e sorrindo. E não haverá piedade alguma, muito menos se, diante olhar frio do assassino fardado, você for um verme imundo que merece morrer.

A barbárie está logo ali, na esquina.

Publicado na Carta Capital em 10 de dezembro de 2019

A DÉCADA DOS SONHOS ESTILHAÇADOS

Acabei de assistir a uma retrospectiva desta década que se passou e foi como se tivesse visto o passar de um século.

A primeira sensação foi exatamente esta, de sobrecarga de informações, de estar sufocado por tantas notícias ocorrendo por todo o mundo o tempo todo.

Imaginemos um camponês qualquer durante a Idade Média. Toda a existência dele se daria, tanto física quanto intelectualmente, no interior dos limites de seu povoado. Aquele seria todo o mundo que ele conheceria, e quase nada mais. A instrução livresca era praticamente limitada a uma elite clerical e a informação levava meses, às vezes anos, para chegar de uma região a outra.

Hoje, qualquer pessoa com um celular na mão tem acesso ao mundo inteiro, a qualquer notícia ocorrendo naquele exato instante em qualquer outro lugar do planeta. E nem sequer sabemos o que fazer com isto, por que nos importa ou qual sua serventia. Consumimos um volume monumental de informações simplesmente porque é aquilo que se espera de uma geração que nasce com uma tela diante dos olhos. Somos os consumidores desta avalanche e, ao mesmo tempo, seus produtores, já que a grande engenhosidade das redes sociais reside no fato de que elas só nos fornecem o espaço para expressão; o resto fazemos nós: nossas interações, nossos contatos, nossas insatisfações, voluntariamente fornecendo a corporações do Vale do Silício todos os dados que elas precisam para nos socar goela abaixo propagandas e mais propagandas. Somos os consumidores, os produtores, mas também os produtos.

E estas mesmas redes que nos uniram e nos reuniram são aquelas que mais representam um risco às democracias modernas. Falamos das crises e das ameaças às democracias, mas, na base disto, encontramos esta ágora política contemporânea onde todas as paixões são amplificadas pelo poder dos algoritmos, das curtidas e compartilhamentos. Quando estamos com raiva, ódio ou medo, compartilhamos com maior fervor. E foi este ódio, raiva e medo que serviram de catalizadores para políticos populistas com uma agenda ultraconservadora que, gradualmente, foram conquistando espaço pelo mundo, todos unidos pelo ressentimento e pelo temor ao diferente.

Em dez anos, assistimos ao clamor por liberdade que brotou na chamada "Primavera Árabe", que chegou a levar à queda de ditadores e regimes autoritários apenas para presenciarmos o fim destes anseios com a ascensão de regimes fundamentalistas, caos social e guerras civis, que culminaram na mais sangrenta delas em nossa época, a da Síria, causando uma desoladora crise migratória que, por sua vez, retroalimentou a retórica xenófoba de partidos europeus de extrema-direita, e com o horror do Estado Islâmico, a organização terrorista responsável por alguns dos mais brutais atentados em solo europeu deste período e que levou o medo e a brutalidade para povos na fronteira entre Iraque, Síria e Turquia.

Vimos também como estas mesmas redes sociais foram usadas por agentes maliciosos para manipularem e distorcerem eleições pelo mundo, inundando-as com fakes news e robôs que, eventualmente, afetariam a percepção dos usuários e poderiam até afetar o resultado destes pleitos. Trump e Bolsonaro são criaturas destes tempos confusos.

E falando em Brasil, mal dá para imaginar que o mesmo país que chegou a ser mundialmente respeitado na década anterior — retratado em 2009 como um foguete decolando na capa da revista *The Economist* — entraria num colapso político, social e econômico que levaria ao impeachment da primeira presidente mulher do país e cindiria o país numa corrosiva polarização política que hoje se resume à velha dicotomia de civilização contra a barbárie.

Mais do que um racha partidário ou ideológico, o Brasil de hoje precisa confrontar o perene espectro da brutalidade e do atraso, de um legado de violência estrutural e de sua História de repressão e morte.

Que milhões de brasileiros tenham escolhido pelo segundo, pela linguagem da violência, certos de que representaria algum tipo de avanço, nunca deixa de me espantar.

Chegamos a 2020 sem a menor ideia se, nesta nova estação, encontraremos algumas soluções ou se nos depararemos com problemas ainda maiores e piores.

Dez anos se passaram, mas sinto que retrocedemos cinquenta. A retórica, a ideologia e confrontos que pareciam ter ficado no passado da Guerra Fria estão mais uma vez nas rodas de conversa. Ou voltamos aos anos 20 e 30, presenciando a emergência do fascismo? Ou retornamos ainda mais, para os tempos medievos, quando a população era completamente subjugada intelectual e moralmente pelo obscurantismo religioso?

"Os terraplanistas estão chegando, estão chegando os terraplanistas...", talvez compusesse Jorge Ben Jor em nossos dias. Sim, estamos de volta à Idade Média, e o nosso pequeno povoado é um celular que nos escraviza com informações ilimitadas que não nos dizem absolutamente nada.

Publicado na Carta Capital em 24 de dezembro de 2019

OBRIGADO, ROBERTO ALVIM (UMA CARTA SINCERA APÓS SEU VÍDEO SINCERO)

Caro Roberto Alvim, eu queria lhe agradecer.

Sabe, em certos momentos, nós gostaríamos de estar errados, de não termos conseguido ler corretamente os sinais, de termos confundindo um fenômeno por outro bastante diferente.

Muitos de nós fomos chamados de "exagerados", "histéricos" e "alarmistas" durante a campanha eleitoral do Bolsonaro por tentarmos estabelecer relações entre o discurso dele e outros momentos históricos, de repressão e autoritarismo, tanto do Brasil quanto internacional.

O fascínio do candidato Bolsonaro pela ditadura militar sempre foi explícito e ele não tinha pudores algum em relembrar-nos que esta era a sua referência política: ditadura, repressão e tortura.

O livro de cabeceira do Bolsonaro?

A obra de um reconhecido torturador da ditadura.

A quem Bolsonaro homenageou em seu voto pelo impeachment da ex-presidente Dilma?

Este mesmo torturador.

Algumas pessoas foram ainda mais longe e tentaram forçar um vínculo entre Bolsonaro e Hitler. Em protestos no Chile, por exemplo, fundiram a cara deles dois. Eu hesitei. Até eu achei que tal comparação era exagerada.

Não dá para negar que a extrema-direita populista global hoje parasita muitos temas e até mesmo a retórica de líderes fascistas dos anos 20, 30 e 40.

Na Itália, por exemplo, houve um renascimento do fascismo como tal, que possui até uma sede em Roma. Em países do leste europeu, como Polônia, Hungria, Croácia, Áustria, Ucrânia e mesmo na Alemanha, assistimos a um assustador renascimento de grupos nazistas. Nos EUA, a supremacia racial está em voga, e embora seus alvos sejam principalmente negros norte-americanos e imigrantes latinos, também possui uma profunda carga antissemita. Nas manifestações da alt-right antes do massacre de Charlotesville em 2018, homens com tochas entoavam cânticos contra judeus e fizeram saudação nazista.

Um tema que perpassa diferentes grupos extremistas de direita é o da "Grande Substituição", de que existe um movimento globalista de extermínio da raça branca através do multiculturalismo e, possivelmente, com uma forcinha do multibilionário George Soros, que, por sua vez, também é judeu e nos remonta à velha teoria conspiratória dos *Protolocos dos Sábios de Sião* e que serviu para alimentar a onda antissemita na Alemanha nazista.

No entanto, Bolsonaro jamais expressou ideais antissemitas; pelo contrário, elegeu-se e ainda hoje conta com um apoio substancial e crucial da comunidade judaica, bem como do governo de Israel.

Por isso, para muita gente — para mim inclusive, repito — comparar Bolsonaro a Hitler era forçar as tintas.

Entretanto, você, atuando como secretário da Cultura, veio e anunciou seu Prêmio Nacional das Artes. Num vídeo publicado nas redes sociais, você reproduziu textualmente trecho de um discurso de Joseph Goebbels, o famigerado ministro da Propaganda do governo nazista, além de toda uma estética, linguagem corporal e proposta claramente vinculada ao regime de Hitler.

Jamais tivemos dúvida do caráter autoritário de Bolsonaro e de qual era seu ideal de sociedade, mas, se precisávamos de um elemento que nos pudesse vincular a Hitler, quem nos forneceu isto foi você.

Se fôssemos condescendentes com você, poderíamos encarar isto como uma zombaria, como uma proposta *kitsch*, talvez com o objetivo de satirizar os críticos de Bolsonaro que sempre o estão associando ao chanceler nazista. No entanto, mesmo se fosse isto — o que duvido —, o tiro saiu pela culatra.

De maneira inequívoca, você (que foi rapidamente exonerado por ordem do presidente) nos entregou de bandeja aquilo que nos faltava, o elo explícito entre nazismo, extrema-direita atual, Bolsonaro e Olavo de Carvalho, do qual sei que você é um devoto seguidor.

Não poderia ser mais explícito.

Gostaríamos de estar errados, de sermos apenas "exagerados" e "alarmistas", mas as evidências se amontoam e seria um erro trágico ignorá-las.

Por isto, mais uma vez obrigado, Roberto Alvim, por permitir que o povo brasileiro enxergue melhor quais são os reais valores daqueles hoje no poder.

Publicado na Carta Capital em 21 de janeiro de 2020

"EXTREMA-IMPRENSA" E REDES ANTISSOCIAIS: AS TÁTICAS BOLSONARISTAS DE DESTRUIÇÃO

Os ataques virtuais à jornalista Patrícia Campos Mello da Folha de SP são mais um capítulo na estratégia bolsonarista de destruição da credibilidade da imprensa e de jornalistas.

No final de 2018, a Folha de SP publicou uma série de reportagens sobre a compra de disparos no Whatsapp por campanhas eleitorais. Qualquer um que tenha acompanhado as eleições certamente percebeu como as redes sociais foram utilizadas de maneira bastante eficiente tanto para a consolidação de certos candidatos quanto para difamação e propagação de fake news.

A internet se converteu no novo campo de disputa política e, pelo menos no Brasil, este foi um terreno conquistado rapidamente por expoentes da extrema-direita. Quando Bolsonaro despontou como um nome viável para a presidência, ele já havia encontrado um solo fértil para sua retórica e estética do tiozão do pavê boca de esgoto.

Não podemos menosprezar o impacto das redes sociais nestas últimas eleições e, sem dúvida alguma, nas eleições futuras. A título de exemplo: neste ano, haverá eleições presidenciais nos EUA; segundo uma reportagem do *The New York Times*, Donald Trump, candidato indiscutível do Partido Republicano à reeleição, tem investido pesado nas redes sociais. Ele gastou sozinho em quatro semanas entre abril e maio de 2019 mais em anúncios no Facebook do que todos os principais pré-candidatos do Partido Democrata. Está aí alguém que percebeu e tem explorado todo este potencial que foi o segredo de sua primeira vitória presidencial.

O nome da jornalista da Folha foi mencionado no dia 11 de fevereiro nesta palhaçada chamada CPMI das Fake

News, com objetivos difusos e resultados até agora duvidosos; ao questionarem Hans River, ex-funcionário da empresa de marketing digital Yacows, suspeita de ter sido contratada em 2018 para realizar disparos no Whatsapp em favor de campanhas eleitorais, ele afirmou que havia sido enganado pela repórter, pensando que ela estava interessada em conversar com ele por causa de seu livro, que em nenhum momento ela mencionou que estava realizando uma investigação sobre disparos no Whatsapp e seu trabalho na Yacows, e, por fim, afirmou que a jornalista havia se insinuado para ele, ou seja, troca de favores sexuais por um furo de reportagem.

Sabemos que Hans River mentiu, e a própria jornalista revelou isto com prints e vídeos nas redes sociais, expondo todo o teor das conversas dela com River.

Entretanto, o projeto de destruição de reputações desconhece a verdade dos fatos, pois seu principal objetivo é justamente este: de contaminar o alvo de tal modo que aquilo que a pessoa diz nem sequer é ouvido. Não se trata de contestar ou refutar argumentos, mas de destruir completamente a credibilidade de quem os enuncia.

Sendo assim, prints, vídeos, provas ou evidências são despojados de qualquer poder de convencimento, posto que a própria fonte passou a ser permanentemente neutralizada.

Vale lembrar a frase muitas vezes enunciadas por Olavo de Carvalho, o guru ideológico deste governo: "Não puxem discussão de ideias. Investigue alguma sacanagem do sujeito e destrua-o. Essa é a norma de Lênin: nós não discutimos para provar que o adversário está errado. Discutimos para destruí-lo socialmente, psicologicamente, economicamente".

A demonização da imprensa — chamada por militantes bolsonaristas de "extrema-imprensa" — vem atrelada a uma gradual destruição da própria ideia de que existam fatos, ou, em vez disto, de que os fatos tenham algum tipo de primazia para o nosso conhecimento da realidade.

E é aí que mais uma vez entram as redes sociais — ou redes antissociais, já que, em última instância, estes se tornaram espaços de uma interminável disputa ideológica —, onde tais distorções da realidade são propagadas repetidamente até o ponto de elas mesmas alçarem o status de verdade.

Enfim, pouco importa se as mentiras proferidas por Hans River sobre a jornalista Patrícia Campos Mello sejam objetivamente falsas, pois, para o grupo político-ideológico pró-Bolsonaro, é muito mais conveniente acreditarem que sejam verdadeiras.

A relação das pessoas com o mundo se torna cada vez mais estritamente dogmática: *é verdade porque creio que seja verdade*.

Portanto, resgatar o domínio dos fatos e sua conexão com o discurso acabou por se tornar o maior desafio de nossa geração, mas, infelizmente, este é um objetivo que nenhuma CPMI das fake news poderá atingir.

Publicado na Carta Capital em 18 de fevereiro de 2020

BOLSONARO, GUEDES E O CORONAVÍRUS: CONFIGURA-SE UMA TEMPESTADE PERFEITA.

É impossível me esquecer do dia 15 de setembro de 2008. Eu morava em Nova York e, após ter sido vítima de uma agressão que me mandou para o hospital, descobri através de um amigo repórter que o banco de investimento Lehman Brothers havia pedido falência. Na redação da emissora onde ele trabalhava, reinava o caos.

Nas semanas e meses seguintes, a maior crise econômica desde 1929 destruiu a vida de milhões de americanos e se alastrou pelo mundo, arruinando a economia de vários países e, na esteira disto, alterando completamente os rumos políticos destas nações.

Como consequência disto, assistimos a uma crescente insatisfação de segmentos cada vez maiores. Para muitos, o capitalismo havia fracassado. A maior prova disto era a profunda desigualdade social — multibilionários cada vez mais ricos e poderosos, enquanto trabalhadores perdiam seus empregos, suas casas, suas economias e, não raro, seus direitos duramente conquistados.

Muitos países que atravessaram tal crise presenciaram, nos anos seguintes, a emergência e consolidação de partidos de extrema-direita e seus expoentes ideológicos: Trump nos EUA e Bolsonaro no Brasil são dois exemplos que nos falam diretamente.

Ao explorarem a revolta e o ressentimento de uma classe média empobrecida, estes populistas conquistaram um espaço no debate público e, com uma retórica divisiva calcada na criação de inimigos imaginários, encontraram os seus alvos: imigrantes, refugiados, feministas, muçulmanos, comunistas, e a lista é longa.

Não podemos menosprezar o poder do ressentimento e do ódio, pois estes foram os mesmos sentimentos explorados pelos regimes fascistas dos anos 20, 30 e 40 na Europa.

Então agora, no dia 9 de março, os mercados globais dão novos sinais de fraqueza e apontam uma nova crise. As bolsas despencaram e, no Brasil, o dólar mais uma vez disparou, ações da Petrobrás viraram pó e investidores estão abandonando o barco brasileiro. O "otimismo" em torno das políticas econômicas ultraliberais se revelou como a quimera que sempre foi. Uma recuperação pífia e índices inexpressivos são um balde de água fria para o superministro ostentado como um trunfo por Bolsonaro.

Muitos países mal conseguiram se recuperar da crise passada e terão de lidar com outra, que pode ser ainda mais profunda, já que contamos com o elemento complicador de uma pandemia de coronavírus que tem prejudicado até a economia chinesa, paralisado regiões inteiras, expondo fissuras e fraquezas de regimes já cambaleantes, pondo a prova a resiliência de governos democráticos e aterrorizando o planeta com as perspectiva de milhões de mortos e o eventual colapso de sistemas de saúde.

Nas mãos de um governo de incompetentes como o de Bolsonaro, configura-se diante de nossos olhos uma tempestade perfeita.

Resta-nos saber como este momento será usado pelos extremistas de direita pelo mundo, se aprofundará a posição deles e lhes dará vitórias eleitorais ou até saídas autoritárias, agudizando a polarização política e aumentando o medo e a revolta dos cidadãos, ou se servirá para uma retomada de uma agenda socialista, um fantasma que desde há muito assombrava a população norte-americana e que talvez pela primeira vez na História dos EUA tem sido vista com certo carinho, como uma alternativa para uma classe trabalhadora cada vez mais precarizada.

Estas crises são inevitáveis, bem como suas imprevisíveis consequências. Continuaremos neste mergulho no abismo ou nos apresentará novos rumos? Prosseguiremos nesta destruição ou será que despontam os primeiros sinais da reconstrução, da cicatrização de nossas feridas e de uma sociedade menos dividida?

Publicado na Carta Capital em 10 de março de 2020

A LOUCURA DE BOLSONARO CHEGOU A UM PONTO SEM RETORNO?

Nós nos acostumamos, infelizmente, a associar o presidente Bolsonaro à ditadura. São décadas de falas elogiosas à arbitrariedade, de apologia ao regime militar no Brasil e a conhecidos torturadores.

Muitos suspeitam que o sucesso da eleição do Bolsonaro não foi apesar destas falas, mas *justamente por causa delas*.

Não há dúvida de que existe em um considerável segmento da população brasileira adulta um espírito de demonização da política. Fomos treinados a odiar políticos e todas as maracutaias que eles engendram nos bastidores do poder; são todos ladrões, corruptos e merecem a cadeia; são a origem de todos os males e se o país não prospera é por causa desta degeneração moral inerente ao poder.

Talvez você até esteja lendo estas acusações e concordando com a cabeça. Verdades sendo proferidas contra uma classe política muito mais corrompida do que em outros países, então é por isto que o Brasil não vai pra frente.

Na obra "Por que as nações fracassam", Daron Acemoglu e James A. Robinson nos propõem uma interpretação distinta. Não seria a classe política que corrompe o sistema, mas um sistema excludente que corrompe as pessoas. Na base, teríamos instituições calcadas na perpetuação de privilégios de certas elites e, dentro delas, cada um luta para obter o máximo de privilégios possível.

Como diria o ex-capitão Nascimento em "Tropa de Elite 2": "o sistema é foda."

Jair Bolsonaro é cria deste sistema excludente: quase 30 anos de parlamentar, enriquecendo a si próprio e a seus familiares nesta carreira, elegendo 3 filhos e preparando o quarto para a vida política, e permanentemente (pelo menos na superfície) antagonizando o mesmo sistema que o alimenta.

A retórica antissistêmica não é acidental. Ela fala diretamente para uma população indignada diante de tanta ineficiência do Estado, que se sente abandonada ou sugada por um parasita que raramente cumpre o que promete. Pois um sistema excludente visa favorecer a poucos, e comumente nós não fazemos parte desta conta.

Ao alimentar as chamas da insatisfação popular, munindo-se de uma mitologia messiânica disseminada no interior de certas igrejas neopentecostais, Bolsonaro capitalizou no espírito de ódio à política. Ele, o político profissional, passa a se tornar o libertador de toda a política.

E é aí que entra o apelo ao autoritarismo.

A democracia é confusa, e todos sabemos disto. Exige articulação, diálogo, debates, divergências, quando não raro "toma-lá-dá-cá" — uma deficiência detectada até nas democracias mais sólidas. É um sistema político bagunçado e muitas vezes frustrante. Para quem olha de fora, ou mesmo de dentro, a sensação é que pouco é feito e que nada avança.

É fácil se frustrar com a democracia, pois ela não costuma apresentar saídas rápidas e fáceis para problemas complexos. Exige a construção de acordos e de um consenso. Requer a transposição de diferenças políticas e, em situações críticas, até que fidelidades ideológicas sejam postas de lado. São complexas assim como todas as sociedades complexas.

Mas a saída autoritária promete resoluções simplificadas. Em vez de dialogar com diferentes poderes e agentes políticos, cada qual com sua respectiva agenda, um autocrata manda e desmanda. Não precisa convencer ninguém e se respalda num pequeno círculo de apoiadores que orbita e se beneficia desta proximidade com o poder.

As ditaduras não são menos corruptas que regimes democráticos, pelo contrário, geralmente são exponencialmente mais corrompidas. Entretanto, são igualmente menos transparentes, ou seja, a população não sabe o que se passa.

Sem uma imprensa livre, sem instituições reguladoras e fiscalizadoras, sem os freios e contrapesos necessários, um ditador parece ser imparável e eficaz, quando, na realidade, é exatamente o oposto.

O presidente explora o sentimento de insatisfação e propaga a ilusão de que, se não fosse "chantageado" pelo Congresso ou atado pelo Supremo, ele conseguiria fazer tudo aquilo que prometeu.

Já vimos várias demonstrações de flerte com um autogolpe e a base bolsonarista vai ao delírio. Pensam que isto trará um cenário melhor, e isto implica também na perseguição e extinção de qualquer oposição política — entenda-se a esquerda, que, neste espírito de demonização política, foi contaminada com a pecha exclusiva de "corrupta e autoritária".

Outra vez mais, Bolsonaro vai às ruas e joga querosene no fogo da indignação popular, portando-se como a única saída viável para a profunda crise que se sucederá à pandemia. Depois, como sempre, recua e afirma que é um defensor da Constituição e da democracia.

O presidente da OAB, Felipe Santa Cruz, muniu-se de uma analogia já bastante desgastada para retratar a cena deste último domingo: Bolsonaro "atravessou o Rubicão". Mas ele já fez isto várias vezes antes diante do que nos parece um olhar impassível da oposição e de outras forças democráticas que se contentam apenas em repudiar seus atos na imprensa ou nas redes sociais.

Contudo, o que nos preocupa não é se cruzou ou não os limites, mas qual será a reação? Continuará impune? Zombando das instituições, corroendo-as, pondo-as em perigo?

Ficaremos nesta trama circular, como um pesadelo sem fim?

Publicado na Carta Capital em 21 de março de 2020

SERÁ O FIM DE JAIR MESSIAS BOLSONARO?

Mais uma vez assistimos ao presidente saindo diante do Palácio do Planalto para saudar manifestações golpistas que visam intimidar o Supremo Tribunal Federal e o Congresso. Uma vez mais vimos a enxurrada de notas de repúdio lançadas a esmo nas redes socais.

Como das outras vezes, a intenção de Bolsonaro é clara. Este é um jogo de expansão e contração. Ele atiça, esbraveja, inflama os ânimos, e depois recua, afirma ser um defensor da Constituição e da democracia, que respeita os demais poderes. Embora a ameaça de um avanço autoritário tenha se tornado uma sombra permanente neste governo, o presidente se encontra isolado e acuado. Está blefando, ou pelo menos é o que aparenta, já que não temos muita certeza de qual é a posição oficial das Forças Armadas, nas quais Bolsonaro se respalda para estas bravatas. Assim como o presidente, os oficiais militares mandam mensagens desencontradas: ora se silenciam, ora repudiam nos bastidores, raramente sinalizam desacordo, às vezes glorificam a "revolução de 64".

Já vimos este filme antes inúmeras vezes em diferentes ocasiões, mas agora temos um elemento adicional bastante singular — a demissão de Sérgio Moro. O ex-ministro da Justiça abandonou o cargo e soltou uma bomba-relógio no colo do presidente. Sabemos que, em algum momento, ela vai explodir, mas não temos como prever as consequências. Após oito horas de depoimento na Polícia Federal, Moro prometeu provas e testemunhas. Este pode ser o começo do fim para Bolsonaro, que tem se agarrado ao assento presidencial comprando o apoio do Centrão, conseguindo assim alienar a sua base lavajatista que migra a tiracolo de Moro e, ao mesmo tempo, confundindo de maneira irreconciliável o seu eleitorado a quem ele havia prometido que não faria toma-lá-dá-cá, que não praticaria a talvez "velha política", como, se de algum modo, Bolsonaro representasse qualquer coisa de nova. Não, ele é sinônimo da Velha Política e das velhas práticas. O presidente está compreendendo que neste jogo político nem sempre a ideologia sobrevive ao pragmatismo, especialmente quando arrota uma ideologia de conveniência, nutrindo-se de um espírito de indignação coletiva.

O maior desafio é como a oposição deve navegar em meio a este turbilhão. Quando pensamos na História, temos a comodidade de julgar anacronicamente as decisões dos grandes líderes do passado, mas já não temos esta lucidez no calor do desenrolar dos eventos. Corremos o risco de subestimar o discurso de Bolsonaro e julgá-lo incapaz de atentar contra as instituições e seguir seus já conhecidos impulsos autoritários, abrindo-lhe uma brecha para a marcha da arbitrariedade. Por outro lado, um erro igualmente problemático seria superestimar a posição do presidente, supondo que ele realmente tem mais apoio do que de fato tem e que, ao tentar neutralizá-lo, seja através de um impeachment ou tentando forçar sua renúncia, isto o fortaleça e lhe dê um fôlego adicional.

Este é o desafio do tempo presente e destas conjunturas sempre em transformação. É como se participássemos de um jogo no qual não enxergamos quais são os movimentos do time adversário, a não ser quando já for tarde demais. Precipitar-se pode nos levar a abrir a guarda e expor as nossas táticas e fraquezas; porém, agir tardiamente poderia ser fatal.

Já sabemos muito bem que uns dos elementos centrais das extremas-direitas, e que hoje se trata de um esforço político coordenado e global, são a desinformação e a confusão.

Ganha-se terreno ao desorientar a oposição para que ela nunca saiba exatamente o que está acontecendo, para que perca tempo desnecessário enfrentando factoides, desmentindo fake news, sempre na defensiva e inevitavelmente orbitando a narrativa elaborada por líderes populistas e suas máquinas de destruição de reputações.

Mas tudo tem seu fim. Em algum momento, conseguiremos, mesmo que tateando nas trevas, encontrar a saída deste labirinto de mentiras e distorções. A noite pode ser escura e assustadora, mas não dura para sempre.

Publicado na Carta Capital em 5 de maio de 2020

NAS MÃOS DE BOLSONARO, BRASIL VIVE UM TRISTE JOGO DE XADREZ 4D

Influenciadores bolsonaristas nas redes sociais popularizaram a ideia de que a disputa política que integram nada mais é do que uma espécie de jogo de xadrez 4D (em quatro dimensões), ou seja, os movimentos das peças no tabuleiro são apenas uma pequena parte do que nós vemos, que, por detrás de tudo isto, existem as mãos que as movem, e as intenções da pessoa ao mover suas mãos.

Nesta guerra ideológica é preciso, assim como num jogo de xadrez tradicional, saber antecipar os movimentos do adversário. No entanto, é aí que entra a gigantesca diferença entre o xadrez e a política. No jogo de tabuleiro, há um número limitado de peças e de movimentos (embora, ao todo, as combinações possíveis beiram o incalculável) e há um objetivo claro — o cheque mate. Já na política — neste tal xadrez 4D — há centenas, senão milhares de peças importantes, e uma possibilidade virtualmente infinita de ações e respostas. Sendo assim, torna-se praticamente impossível antecipar os atos do adversário, a não ser que ele nos antecipe o que fará, seja com atos, falas ou sinais.

Bolsonaro é um péssimo jogador deste xadrez 4D. Já cruzou o Rubicão, e já descruzou o Rubicão. Seus atos são tão contraditórios e confusos que geralmente não temos clareza de se ele atua de modo intencional numa espécie de guerra de informação, ou se é tudo errático e decorrente de uma enorme falta de capacidade intelectual e de coordenação.

Se todo este caos em todas as frentes for intencional para vencer a partida, então Bolsonaro e sua equipe são gênios e têm a todos nós nas mãos. São brilhantes estrategistas, enganando-nos com maestria.

Todavia, se o caos for meramente um efeito colateral de um presidente incompetente e que não compreende suas atribuições, então este tal xadrez é uma mera construção ilusória brotando das mentes de um monte de fanáticos que enxerga motivos ocultos atrás de cada moita.

Pessoalmente, inclino-me a considerar mais seriamente esta segunda possibilidade: que neste governo estão todos meios perdidos, mas crentes de que têm tudo sob o controle.

Mesmo assim, as intenções são e sempre foram bastante claras. Sabemos o que Bolsonaro e seus apoiadores querem, pois eles nos revelam praticamente todos os dias.

Nas já habituais manifestações de domingo, que Bolsonaro costuma prestigiar, da última vez sobrevoando de helicóptero e depois desfilando a cavalo na melhor tradição fascista de Mussolini, as frases de efeito são as mesmas: pedem intervenção militar — "constitucional" obviamente, já que eles se importam tremendamente com a Constituição —, novo AI-5 (ah, que se dane a Constituição!) e fechamento do Supremo Tribunal Federal e do Congresso, tudo dentro da pura legalidade autoritária, é claro. Alguns, aliás, pedem até a volta da monarquia.

Neste improvável xadrez 4D, não basta estar ganhando, mas precisa parecer estar ganhando, e é neste ponto que Bolsonaro acaba se enrolando, pois, nas últimas semanas, ele vem acumulado uma derrota atrás da outra. A última foi o desenrolar do inquérito das *fake news* sob supervisão do ministro do STF Alexandre de Moraes que atingiu muitos influenciadores e empresários bolsonaristas e que tem o potencial de implicar Carlos Bolsonaro. O presidente subiu o tom, novas ameaças, muita indignação e indisposição na cúpula do governo. Sergio Moro e o vergonhoso vídeo da reunião ministerial já viraram notícia velha.

Se este fosse realmente um jogo de xadrez, eu diria que o ministro Alexandre de Moraes deu um cheque, desestabilizou o adversário e fez avanços, mas a partida ainda continua...

Publicado na Carta Capital em 2 de junho de 2020

AGRADECIMENTOS

Este livro não seria possível sem o generoso espaço que me foi concedido por Mino e Manuela Carta e pelo editor Ricardo Pieralini na Carta Capital. Neste mais de um ano e meio de parceria, pude expor a minha visão do atual cenário político tanto para seus leitores quanto em sua plataforma do Youtube.

A Sálvio Nienkotter, o extraordinário editor que publicou recentemente dois dos meus livros pela Kotter Editorial, incluindo o meu livro em coautoria com Heloisa de Carvalho, *Meu Pai o Guru do Presidente*, em conjunto com a Editora 247, no qual Heloisa e eu nos esforçamos para retraçar a gênese de Olavo de Carvalho e como ele passou a se tornar uma figura central na ascensão da extrema-direita brasileira. Muitos dos textos aqui publicados passaram pelo olhar clínico do Sálvio, sempre com enriquecedoras sugestões para aprimoramento do texto.

Às antropólogas Débora Diniz, uma verdadeira luz para nós neste sombrio percurso, uma incansável defensora dos valores da democracia, dos direitos humanos e da dignidade de minorias, e Rosana Pinheiro-Machado, cuja obra *Amanhã vai ser maior* iluminou para mim muitos aspectos dos processos e contradições que permitiram a chegada de Bolsonaro à presidência, e que nos honra muito com sua amizade.

A Glenn Greenwald e a equipe de jornalistas do The Intercept Brasil que, através da cobertura das conversas vazadas entre procuradores da força-tarefa da Lava Jato e o ex-juiz Sergio Moro, revelaram de maneira inequívoca a real natureza e a parcialidade do combate à corrupção no governo petista, assim como o modo que este espírito lavajatista também influenciou tremendamente no destino do país.

A Carlito Neto, Nilce Moretto, Dead Consense, Jana Viscardi, Marco Bezzi, Helder Maldonaldo, Ferréz, Ale Santos, Maurício Ricardo, Clayson Felizola, Gabriel Montanari, Tassio Denker, Bruno Silvestre, Normose, Pirula, Família Passos, Felipe Neto, dentre muitos outros influenciadores e produtores de conteúdo que, ao longo dos últimos anos, enfrentaram o obscurantismo, o autoritarismo e o retrocesso.

A Anthony Koontz por ajudar a aprimorar o design da capa.

A todos os milhões de brasileiros que não compactuam com este governo de atraso e que darão o máximo de si para proteger a tão frágil e complicada democracia brasileira.

pólen soft 80 gr/m2
tipologia calisto mt
impresso no inverno de 2020